KB039439

사람을 살리는

52 Story

사람을 살리는

52 Story

초판 발행 _ 2014년 8월 30일
펴낸 곳 _ 도서출판 십자가선교센터
등록번호 _ 제 390-2004-00006호
주소 _ 경기도 광명시 소하로 144
전화번호 _ 02) 2617-2044
F A X _ 02) 899-9189
홈페이지 _ www.cross9191.com / www.52ch.kr
구입문의 _ 02) 2617-2044, 2685-0423

ISBN 978-89-91822-44-3 03230
값 8,000원

저자와의 협약아래 인지는 생략되었습니다.

사람을 살리는

52 Story

권영구 지음

십자가선교센터

|머리말|

오병이어교회는 사람의 생각으로 세워진 것이 아니라 하나님의 뜻대로 세워진 교회입니다.

중원교회라는 이름으로 시작하여 28년간 그 명칭을 사용하다가 소하성전을 건축하여 입당하면서 오병이어교회로 개명하였습니다.

예수님의 말씀 (막 2:22) **"새 포도주를 낡은 가죽 부대에 넣는 자가 없나니 만일 그렇게 하면 새 포도주가 부대를 터뜨려 포도주와 부대를 버리게 되리라 오직 새 포도주는 새 부대에 넣느니라 하시니라"**는 말씀을 참고하였습니다.

그래서 새 성전에서는 새 이름으로 시작하는 것입니다.

이 책을 읽으시면서 살아계신 하나님을 느끼게 될 것입니다. 어제나 오늘이나 동일하신 하나님이라는 성경말씀을 믿게 될 것입니다.

(히 13:8) "예수 그리스도는 어제나 오늘이나 영원토록 동일하시니라"

이 책을 끝까지 읽으시면서 많은 은혜를 받았으면 합니다. 여기에 기록된 모든 것은 사실이며, 하나님께서 오병이어교회를 어떻게 인도하시며 세우셨는지 그리고 하나님의 뜻을 이루어가시는지를 알 수 있습니다.

살아계신 하나님은 히브리민족을 낮엔 구름기둥으로 밤에는 불기둥으로 인도하시고, 여러 가지 문제가 있을 때마다 모세가 기도하면 큰 고난도 작은 일처럼 해결하시면서 가나안 복지까지 인도하셨습니다.

오병이어교회도 하나님께서 비슷하게 인도하시는 것을 느낍니다. 이러한 일은 아무 교회에나 있는 일이 아닙니다. 하나님이 특별히 선택한 교회에만 있는 일입니다. 그래서 오병이교회는 사람의 뜻을 이룰 수 없습니다. 오직 하나님의 뜻을 이루어 드리는 참된 교회가 되어야 합니다.

이와 같은 사명을 거역하면 하나님께서는 히브리 민족이 광야에서 거역하고 당했던 일들을 거절한 그 사람에게 나타내실 것입니다.

그러므로 우리는 특별한 선택에 감사하고 하나님의 간섭하심에 감사하고 성경이 바르게 전달되는 교회, 목사와 중진이 바르게 살려는 교회에 다니는 것을 감사하고, 이 시대를 개혁하고 참되게 변화시키려는 교회에 출석함을 감사해야 합니다.

또 초대교회처럼 기도 열심히 하는 교회, 예수님이 가르쳐 주신 기도대로 바르게 기도하는 교회, 성경말씀을 십자가의 길 양육시스템과 단계별로 철저히 가르치는 교회, 성령의 역사가 매일 나타나는 교회, 하나님의 은혜와 구원의 역사가 많이 나타나는 교회, 가난한 자나 부한 자나 행복해 하는 교회, 서로 돕고 사랑이 넘치는 교회, 하나님 보시기에 바른 교회, 평신도 사역자가 많아 역할 분담이 잘 되는 교회, 이러한 교회로 이끄신 것에 행복한 마음으로 감사해야 할 것입니다.

앞으로 오병이어교회는 더 많은 하나님의 뜻을 이루어 드리는 교회가 될 것이며 성도가 행복해 하는 교회가 될 것입니다.

오병이어교회를 한마디로 말하면 '사람을 살리는 교회' 입니다. 큰 죄를 범한 자, 가난한 자, 부한 자, 병든 자, 고생하는 자, 장애를 가진 자, 심령이 죽은 자가 살아나는 교회가 오병이어교회입니다.

오병이어교회를 다니는 분들 모두에게 하나님께서 땅에서의 복과 하늘의 상급을 크게 주시기를 기원합니다.

그리고 오병이어교회를 통해서 나타나는 모든 좋은 일들로 하나님만이 존귀와 영광을 받으시기를 원합니다.

이 52(오병이어)스토리를 읽는 분들에게 성령하나님이 많은 은혜와 복을 주시기를 기원합니다.

모든 영광 하나님께….

2014년 8월 30일

남해에서 권영구 목사

| Contents |

[제1장] 개척 전 이야기_하나님의 명령

"한 영혼이 중요하다.
교회를 세워라"

백혈병이 치료되다

신학을 마치고 신월동 OO교회에서 전도사 사역을 하고 있었습니다. 매일 열심히 기도하는 가운데 신유은사가 있는 집사님과 함께 암 환자들과 불치병을 앓고 있는 사람들에게 치유기도를 하러 다녔습니다.

1부 예배를 드리고 2부 기도는 치유은사가 있는 집사님과 함께 기도하여 주었습니다. 그때마다 하나님은 불치병을 치유하여 주셨습니다.

이렇게 즐거운 치유기도를 하면서 생활하는데 내가 섬기고 있는 교회의 여집사님이 나를 찾아왔습니다. 자신의 이종 여동생이 백혈병을 앓으면서 10년을 살았는데, 병원에서 이제 3일을 넘기지 못할 것이라고 했다는 것입니다. 그러면서 꼭 가셔서 치유기도 한 번만 해 달라는 부탁을 하였습니다.

그 다음 날 택시를 타고 가면서 차 안에서 기도하였습니다. 그랬더니 온 몸이 뜨거워지는 것을 경험하였습니다. 확신이 왔습니다. '이 환자도 하나님이 치유해 주시겠구나. 그러니 마음 놓고 기도해 주자.' 는 생각이 들었습니다.

환자의 집에 도착하여 먼저 예배를 드리는데 그 어머니의 죄로 인하여 딸이 백혈병으로 고생하는 것이니 회개하라는 설교를 하였습니다. 이런 내용은 내가 전혀 생각하지 않았는데 나도 모르게 설교가 그렇게 전해졌습니다.

환자의 어머니는 눈물을 흘리며 회개하기 시작했고 나는 치유기도를 해 주었습니다. 그리고 집으로 돌아와서 또 그 환자를 위해 열심히 기도하였습니다.

그 다음 날 다시 그 집에 치유기도를 하러 갔습니다. 그 당시에 나는 어느 환자든지 3번 기도하러 가서 치유가 일어나지 않으면 "하나님이 치유하지 않으시니 더 이상 기도하지 못하겠습니다."라고 말하고 그만두었습니다. 그래서 두 번째 간 것입니다.

예배를 드리고 치유기도를 하려는데 환자의 입술에 붉게 핏기가 돌고 손바닥에도 붉게 핏기가 돌았습니다. 그래서 나는 선포하였습니다. “하나님께서 이미 치료하셨습니다. 어제 와서 볼 때는 입술과 손바닥이 하얀색이었는데, 오늘 혈색이 있는 것을 보니 하나님이 한 번에 치료하셨습니다.”

그 후로 정말 그 백혈병 환자는 깨끗이 치료가 되어서 지금까지 재발이 없습니다. 하나님께 영광을 돌립니다.

하나님께 치료를 받은 백혈병 환자는 카톨릭 교인이었습니다. 항상 수녀가 되겠다고 기도하였다는데 백혈병에서 치료받은 후로 개신교로 개종하여 내가 섬기는 신월동 OO교회에 출석하기 시작하였습니다. 서울 은평구 역촌동이 집이었는데 강서구 신월동까지 온가족이 열심히 출석을 하였습니다.

특별한 인연으로 만난 아내

백혈병을 치료받은 지 한 달 정도 되었는데, 함께 기도하러 다니는 치유은사가 있는 집사님이 내게 말하였습니다.

백혈병에서 치유받은 p자매와 결혼했으면 좋겠다고…. 그 자매의 어머니에게서 청혼이 들어왔다는 것입니다. 그래서 자신이 기도해 보니 하나님의 뜻인 것 같은데 전도사님도 기도해 보라고 하는 것입니다.

나는 그 자리에서 거절하였습니다. “말도 안 되는 소리 하지 마십시오! 사모가 되려면 신앙도 좋아야 하지만 건강해야 합니다. 또 내가 원하는 스타일이 있습니다. 키가 커야 하고 예뻐야 하고 날씬해야 하고 마음씨도 착해야 하고 음식도 잘 해야 하고 부모형제간에 우애도 잘 알아야 하고 집안도 좋아야 하고…. 그런데 한 가지도 마음에 드는 것이 없습니다."

그랬더니 집사님은 "공장에서 맞추어야겠네요."하고 돌아갔습니다.

사실은 결혼하기 싫은 마음과 현재 내가 가난하므로 결혼할 수 없는 형편이니 안 된다는 표현을 그렇게 한 것입니다.

그런데 그 후에도 또 말하는 것입니다. 그 집에서 청혼을 하게 된 이유는 첫날 치유기도를 하는데, 그 어머니의 눈에 치유기도를 하고 있는 전도사가 자기 딸에게 결혼 드레스를 입혀가지고 안아 들고 있는 모습이 보이더라는 것입니다. 그래서 조심스럽게 청혼이야기를 하는 것이니 전도사님도 기도해 보라는 것이었습니다.

나는 기분이 나빴습니다. 자기 딸이 죽음 직전에서 살아나니 이제는 맡기려고 한다는 생각이 들었습니다. 못된 사람이라고 생각하고 무시해 버렸습니다.

그러던 어느 날, 혼자서 기도하고 있는데 마음에서 소리가 들렸습니다. "내가 정해 주는 여자와 결혼하겠느냐, 네가 원하는 여자와 결혼하겠느냐?"

나는 아무 말도 하지 않았습니다. 그랬더니 또 들렸습니다. "내가 정해 주는 여자와 결혼하면 너의 소원을 이룰 것이요, 네가 원하는 여자와 결혼하면 너의 소원을 이루지 못할 것이다."

나는 아무 말도 할 수 없게 되었습니다. 한참 후에,

"주님 뜻대로 하십시오. 이것도 순종하겠나이다."라고 대답하고, p자매와 결혼을 하기로 결심하였습니다.

청혼을 승낙하니 결혼은 빨리 진행되었습니다. 12월 5일에 백혈병에서 치유되고 이듬해 1월에 청혼이 있었고, 2월에 결정하고 3월 26일에 결혼을 하였습니다.

나의 생각과 전혀 다른 하나님을 경험하였습니다. 언제나 중요한 결정은 나의 생각과 다르게 하나님이 결정하셨습니다. 그리고 나는 나를 버리고 하나님께 순종해야 했습니다.

환경을 그렇게 만들고 몰아가셔서 꼼짝없이 순종하게 하셨습니다.

후에 깨달은 것이지만 하나님은 마음에 없는 결혼까지 순종하는 모습을 보시고 나를 축복하셨습니다.

얍복강의 야곱과 같은 특별 기도 훈련

신혼여행을 다녀와서 첫날 아침이 되었습니다. 갑자기 아내가 밖에 여러 명의 여자들이 자기 이름을 부르며 나오라고 한다고 말합니다.

밖을 보았습니다. 아무도 없었습니다. 이때 순간적으로 '아내가 영의 눈이 열려서 영적 세계가 보이는구나!' 라고 느꼈습니다. 그러면서 '귀신이 밖에서 부르는구나! 저 소리를 듣고 밖으로 나가면 죽는다. 그러니 못 나가게 막아야 한다!' 는 생각이 들어 아내를 붙잡고 기도하기 시작하였습니다.

그렇게 2시간 정도 기도하였더니 아내가 밖에 자기를 부르는 사람들이 없어졌다고 말합니다. 나는 안도의 한숨을 쉬고 '마귀와 싸워서 이겼구나!' 하고 쓰러져 잠이 들었습니다.

한참을 자고 일어나 시간을 보니 두 시간 정도 지났습니다. 갑자기 아내가 말하기를 거실에 이상한 사람들이 들어와서 떠들며 놀고 있다는 것입니다. 그래서 또 붙잡고 "마귀야, 물러가라! 귀신아, 물러가라!" 하고 통성으로 힘을 다해 기도하였습니다. 한참이 지났는데 아내가 모두 가고 없다고 말합니다. 나의 눈에는 안 보이는데 아내의 눈에는 귀신들이 보이고 음성도 들렸던 것입니다. 나는 너무 피곤해서 쓰러져 또 잠이 들었습니다.

잠에서 깨어 보니 다시 두 시간 정도가 지났습니다. 그런데 또 아내의 눈에 귀신들이 보이기 시작합니다. 밖에서 나오라고 부른다는 것입니다. 그래서 또 마귀를 물리치는 기도를 하였습니다. 귀신들이 안 보인다고 해서 기도를 그쳤는데 약 3시간이 지나갔습니다.

이렇게 3시간 기도하고 2시간 잠들고를 반복하는데 4일째가 되었습니다. 기도는 4~ 5시간 정도 하고 2시간 정도 잠이 들고, 눈을 뜨면 또 기도하고를 밤낮으로 반복하였습니다. 육체는 완전히 녹초가 되어버렸습니다. 입안에는 구내염이 생겼고 이제는 몸도 마음도 지쳐버렸습니다.

'내가 마귀에게 홀려서 결혼을 했나보다.' 라는 생각까지 들었습니다. 아무리 마귀와 귀신을 쫓아도 보였다 안 보였다 반복만 하지 끝이 나지 않았기 때문입니다.

'결혼하자마자 이런 고난이 어디에 있단 말인가! 이런 얘기는 들어보지도 못했는데…. 빨리 마귀를 이기고 보이지 않으면 당장 이혼을 해야겠다!'

그러나 그것은 나의 생각이었고 하나님의 계획은 달랐습니다. 그 뒤로도 계속 마귀가 보이면 기도하고, 안 보이면 잠을 자고 하는 일이 반복되었습니다. 7일째에는 마귀를 쫓는 기도를 하고 나니 7시간이 지났습니다. 그리고 두 시간 정도 잠이 드는 것입니다. 이제는 식사도 할 수 없었습니다. 빨리 마귀를 이기는 것 밖에는 다른 생각이 들질 않았습니다.

'참으로 내 인생은 왜 이렇게 꼬이는 것이 많은가! 어떻게 결혼도 이렇게 꼬일 수가 있는가!' 하며 자신을 한탄하였습니다. '나는 하나님의 뜻으로 응답받았다고 생각하고 결혼하였는데 이렇게 고통을 받다니…. 나는 아내 복도 없는 사람인가보다.'

아무튼 빨리 마귀를 이기고 나면 이혼해야 되겠다는 생각으로 가득하였습니다.

7일째 저녁이 되었습니다. 또 마귀와 귀신이 나타났습니다. 물리치는 기도를 통성으로 하였습니다. 너무 소리를 질러서 목소리도 잠겨 버렸습니다. 몸도 지쳐서 내가 쓰러지기 직전이었습니다. 더 이상 기도할 힘도 없어졌습니다. 이제는 나도 빨리 죽었으면 좋겠다는 생각이 들 정도였습니다. 이렇게 힘들게 살 바에는 빨리 하나님 나라에 가는 것이 좋겠다고 생각하였습니다.

그렇게 몇 시간이 흘렀을 때, 갑자기 아내가 말하기를 "마귀들이 없어지고 하늘의 문이 열리고 예수님이 서서 바라보고 계세요!"라고 하는 것입니다. 그 소리를 들으니 정신이 번쩍 들었습니다. 아내는 예수님에게 보고 들은 것을 그대로 나에게 전달하고 나는 궁금한 것을 물어보았습니다.

예수님께서는 빛나는 흰 옷을 입고 서서 바라보시며 "좋아, 때가 급하니 교회를 세워라. 한 영혼이 중요하다. 복음을 전하라."고 하셨습니다.

그 말씀을 듣고 기도하였습니다. "예수님, 순종하겠습니다. 하지만 나에게는 왜 이렇게 고난이 많습니까?"라고 여쭈었습니다. 예수님께서는 "너를 야곱이 얍복강에서 기도한 것처럼 기도시키기 위해서였다."라고 말씀하시는 것이었습니다.

그래도 나는 궁금한 것들이 많아서 계속 예수님께 질문하였고, 예수님께서는 모두 답해 주셨습니다. 이렇게 예수님과 대화하는 시간이 너무 좋았는데, 예수님이 사라지고 난 후 시간을 보니 몇 시간이 흘러 벌써 새벽이 되었습니다. 나와 아내는 피곤하여 쓰러져 깊은 잠을 잤습니다.

잠에서 깨어난 후, 나는 세상을 다시 사는 기분이었습니다. 큰 비밀을 깨달은 것처럼 마음이 행복하였고 평안하고 기뻤습니다. 그 후로는 지금까지 아내에게 그런 현상은 나타나지 않았습니다. 하나님은 나를 기도시키기 위해서 아내를 사용하였던 것입니다.

먹는 문제를 놓고 기도

개척하겠다고 순종하고 나서 교회 장소를 얻으려고 기도하면서 가장 응답받고 싶었던 것이 먹고 사는 문제였습니다.

내가 처음 하나님을 믿었을 때 다니던 교회의 담임목사님은 자녀가

세 명이었는데, 날마다 밀가루 음식이 주식이었습니다. 국수, 수제비, 라면을 하루 한 끼 이상 드셔야 할 정도로 가난하였습니다.

두 번째 오신 목사님도 자녀가 다섯인데 비슷하게 고생하셨습니다.

내가 전도사로 있던 교회들 중에도 그와 같은 교회가 여럿 있었습니다. 목사님들이 식생활이 제대로 되지 않아 고생하는 것을 많이 보았습니다.

그 시대의 신학생들은 학비도 못내는 사람이 다수였고, 먹을거리가 없어서 물로 배를 채우는 사람들이 많았습니다. 나도 그런 사람들 중의 한 사람이었고, 그래서 교회 개척은 생각도 하지 않았습니다.

그런데 하나님께서 개척하라고 말씀하십니다. 내가 어떻게 하나님의 명령을 거역할 수 있겠습니까? 우주에서 가장 두려워해야 할 분이 하나님이신데, 거역은 감히 생각할 수도 없는 일입니다.

그래서 나는 "하나님이 이렇게 명령하시니 평생 먹는 것을 걱정하지 않게 해 주시면 순종하겠습니다."라고 기도하였습니다.

"하나님, 나는 배고픈 것이 싫습니다. 그러니 책임져 주신다면 순종하겠습니다." 이렇게 기도하였습니다.

그러던 어느 날, 집에서 혼자 기도하고 있는데 내 몸이 머리에서부터 발끝까지 반쪽은 불처럼 뜨거워지고, 반쪽은 얼음처럼 차가워지는 것이었습니다. 순간적으로 '성령님이 내게 역사하시는구나!' 생각하는데 마음에서 소리가 들립니다. "내가 너를 절대 굶기지 않겠다." 하시는 것입니다. 나는 성령의 역사로 믿고 "아멘!" 하였습니다.

정말로 하나님은 그 후로부터 지금까지 약속을 지키셨습니다. 먹는 것을 항상 넉넉하게 주시어 남을 도와주었지 한 번도 먹는 것이 떨어진 적이 없습니다.

내가 목회하기 전에 가장 두려웠던 것이 먹을 것이 없어서 처자식을 굶기면 어떻게 하나 하는 걱정이었습니다. 목회하면서 고생하는 것은 참을 수 있고, 먹을 것이 없으면 나는 금식할 수 있지만 처자식이 굶는 것을 어떻게 바라볼까 하는 것이었습니다.

사실 나는 청소년 때부터 굶는 것과 금식기도 하는 것에 길들여져 있었습니다. 하지만 살면서 굶는 것이 제일 싫기도 하였습니다. 후에 깨달은 것이지만 이것도 하나님이 나를 기도의 사람이 되게 만드는 훈련이었습니다.

어떤 교회 이야기

개척 장소를 구하러 다니는 중에 어떤 교회가 부흥하지 못해서 교회를 팔려고 내놓았다는 복덕방 아저씨의 말씀을 듣고, 주일 낮 예배를 드리러 그 교회에 갔습니다.

20여 명 정도의 교인이 있는 예배당에 아내와 함께 앉아서 예배를 드리는데, 아내가 예배 중에 "강단 의자에 킹콩만한 마귀가 앉아 있어요." 하는 것입니다. 그래서 예수님께 여쭈었더니 예수님이 답하셨습니다. "이 교회의 목사가 기도를 하지 않아서 마귀가 강대상을 점령하고 있는 것이다."라고 하셨습니다.

또 아이들만한 마귀들이 예배 시간에 이리저리 다니며 예배를 방해하고 있었습니다. 그래서 또 예수님께 여쭈었습니다. 왜 이렇게 많은 마귀가 예배 시간에 어지럽게 다니는지 말입니다. 그랬더니 예수님께서 "성도들이 기도를 하지 않아 교회에 마귀가 많다."라고 말씀하셨습니다.

이 교회의 담임목사님은 성남에 있는 큰 교회의 부목사로 있다가 광명시에 개척을 한 지 5년이 되었는데, 부흥이 되지 않고 20명 정도 모였습니다. 목사님은 기도보다는 수지침을 배워 매주 일회씩 무료 침술로 사람들을 치료하며 전도하였습니다. 하지만 교회는 영적으로 마귀를 이기지 못하고 죽어 있었습니다.

우리는 교회를 나왔고 그 교회를 얻지 않기로 결정하였습니다. 킹콩

만한 마귀를 어떻게 이기겠습니까? 게다가 하나님이 기뻐하시지 않는 교회이므로 들어가지 않는 것이 좋겠다고 생각하였습니다. 그 후 몇 년이 지나서 보니 그 교회는 없어졌습니다.

여기서 깨달은 것이 있습니다. 교회는 목사도 기도하고 성도도 기도해야 한다는 것입니다. 다른 일보다 우선적으로 기도해야 한다는 것을 깊이 느끼게 되었습니다. 그래서 항상 마귀를 이겨야 자신도 살고 교회도 부흥시키고 성도도 살린다는 것을 깨닫게 되었습니다. 그래서 더 열심히 기도를 하였고 기도시간을 늘렸습니다.

너희는 알려 주어도 못 해

송파 지역으로 개척 장소를 보러 다니는데 다리가 많이 아팠습니다. '교회 장소를 정하는 것이 이렇게 힘든 것이구나!' 생각하고 있는데 아내가 말하였습니다.

앞에 마귀가 나타나서 "다리도 아프고 힘도 많이 드니 그만 다니고 쉬어라." 라고 말한다는 것입니다. 그런 말을 듣는 순간 정신이 번쩍 났습니다. 그래서 "마귀야! 물러가라!" 하였는데 꿈적도 하지 않습니다. 그리고는 옆에 서서 걸으면서 계속 그만 다니라고 하는 것입니다. 아내는 보고 듣는 것을 말하고, 나는 마귀에게 물었습니다.

"마귀야, 너는 무엇이 제일 무섭느냐?"

"너는 목사가 그것도 모르느냐?"

"알고 있지만 그래도 너의 대답을 듣고 싶다."

"너희가 하나님을 찾을 때가 가장 무섭다."

"그것을 알려 주면 네가 손해이지 않느냐?"

"너희는 알려 주어도 못 해!"

"왜 못 해?"

하고 물으니 '깔깔깔' 웃으면서 하는 말이,
"너희 인간들은 금방 잊어 버려!" 하는 것이었습니다.

그래서 나는 '사탄아! 물러가라!'를 외치고 걸어가면서 하나님께 기도하였습니다.

'하나님, 저 마귀를 물리쳐 주십시오. 우리가 하나님의 일을 하는 것을 방해하려고 합니다.' 마귀를 물리쳐 달라고 간절히 기도했더니 마귀가 순식간에 사라져 버렸습니다.

우리는 사탄이 우리의 약점을 잘 알고 있다는 것을 명심하고 정신차리고 열심히 기도로 하나님을 매일, 매순간 찾아야 합니다.

아내의 영적 은사

아내는 결혼하기 전 백혈병에서 치료받았을 때 하나님께 기도한 것이 있다고 합니다.

중학교 2학년 여자아이가 영안이 열리고 영적인 소리를 듣고 질병을 치유하는 모습을 보면서 '내가 전도사님의 아내가 되려면 저런 은사가 필요하다.'라고 생각하고 하나님께 그런 은사를 달라고 꾸준히 기도하였다고 합니다.

그런데 결혼하고 야곱과 같은 기도를 한 그 후부터 영안이 열려서 생각만 하고 있어도 영적인 세계가 보이고 말들이 들리게 되었습니다. 눈을 감고 보는 것이 아니라 눈을 뜬 상태나 아니면 감은 상태에서도 낮과 밤에 관계없이 보거나 들을 수 있고, 때로는 자신의 의지와 전혀 상관없이 보고 듣게 되었습니다.

어떻게 보이는지를 물었더니 평상시에는 우리가 사는 것처럼 보이고, 기도할 때는 앞에서 영화를 보는 것처럼 보인다고 합니다.

사람의 마음도 영화 화면처럼 보이는데 본마음이 보이고 옆에 다른 마음이 나타나고 소리도 들린다고 합니다.

또 방언을 통변합니다. 어떻게 들리는지 물었더니 자기 귀에는 한국말로 들리기 때문에 따로 해석을 할 필요가 없다고 합니다.

성경을 읽으면 성경책의 글씨가 금빛으로 빛나면서 움직이기 시작하더니 성경의 장면들이 영화처럼 보이고 들린다고 하였습니다. 복음서도 그렇게 보이고 요한계시록도 그렇게 보인다고 하였습니다.

새들이 지저귀는 소리도 바람소리도 한국말로 들린다고 하며, 세상 만물이 하나님을 찬양하고 하나님께 감사하고 하나님께 영광을 돌리는 말을 하는데, 사람만 그렇게 하지 않는다고 말하였습니다.

기도하면 천국이 보이고 지옥도 간혹 보인다고 합니다. 많은 사람들이 영적인 것을 잘못 보거나 해석을 잘못 하고 있고, 그래서 신앙이 잘못되어 가는 것도 보인다고 하였습니다.

그 외에도 더 많은 영적인 것을 경험하였으나 그 많은 것을 여기에 모두 기록할 수가 없습니다.

나팔 든 아기 천사들

하루는 여느 날처럼 교회 장소를 보러 다니는데 무척 더운 낮이었습니다. 아내가 말하기를 거리에 조그마한 마귀의 부하들이 많이 있다고 합니다. '낮에도 마귀의 부하들은 저렇게 활동을 많이 하는구나.' 하는 생각이 들었답니다. 마귀의 부하들이 오가는 사람을 가지고 장난을 하는데, 사람들은 아무것도 모르고 그냥 지나가더랍니다.

그래서 기도하였습니다.

"하나님, 저 마귀의 부하들을 물리쳐 주십시오. 한두 명이 아니라 너무 많습니다."

그러자 갑자기 하늘에 어린 천사들이 많이 나타났습니다. 그리고 나팔을 꺼내서 나팔을 불기 시작하는데 순식간에 마귀의 부하들이 사라져 버렸습니다. 놀라운 영적 경험을 하였습니다.

낮에도 기도하면 하나님은 천사들을 보내어 우리를 돕는다는 것을 알게 된 것입니다.

개척 장소를 정해 주신 하나님

개척을 하기 위해서 장소를 놓고 계속 기도하였습니다. 월요일에 기도원에 들어가서 토요일에 나왔습니다. 일주일은 기도원에서 기도하고, 그 다음 일주일은 교회 장소를 알아보러 다녔습니다.

격주로 여러 기도원을 다니며 기도하면서 아내가 옆에서 하나님의 응답을 받았습니다. 지금까지 경험하지 못했던 영적 세계를 경험하게 되었는데 참으로 하나님의 세계는 경이로운 일들로 가득하였습니다.

성경에 나타난 기적들을 경험하고, 신비로운 하나님이 통치하시는 세계를 경험하였습니다. 이렇게 영적 생활을 하니 기도가 재미있고 즐거웠습니다. 기도 속에 깊이 빠졌습니다.

그러던 어느 날, 십자가가 하늘에 떠 있었습니다. 그래서 따라갔더니 광명시 광명동 158-36번지에 내려 꽂히는 것이었습니다.

그곳은 조그마한 건물 2층이었습니다. 주변의 복덕방에 들어가 저곳을 교회로 얻고 싶은데 가능한 지 물었습니다.

그곳은 전에 교회를 했던 곳인데 두 번이나 목사님이 바뀌었다고 했습니다. 교회가 부흥되지 않아서 그만 두고, 지금은 비어 있으니 가능하다고 하였습니다.

그러면서 오전에 어떤 공장을 운영하는 사람이 보러 와서 자기들이 얻겠다고 구두 상으로 말하고 갔다며, 혹 그 사람들이 얻으러 올지도 모르니 마음에 있으면 지금 가계약금 10만 원을 걸고 가라고 하였습니다. 우리는 그 자리에서 가계약을 하고 내일 정식 계약을 하기로 하고 돌아왔습니다.

그 다음날 일찍 가서 보증금 250만 원에 월세 5만 원씩을 내기로 하고 15평 정도 되는 건물 2층을 계약하게 되었습니다.

3개월 동안 격주로 기도원에 다니며 교회 장소를 달라고 기도하였더니 하나님이 인도하여 정해 주신 것입니다.

이스라엘 백성을 낮에는 구름기둥으로 인도하시고 밤에는 불기둥으로 인도하셨듯이 십자가로 인도하셨습니다. 하나님은 살아계신 분입니다.

나의 뜻과 다른 하나님의 뜻

교회 개척 장소가 정해지기 전, 처음에는 송파 지역을 다녔습니다. 그때는 송파 신도시가 건설되던 시기였는데, 새롭게 개발되는 지역에 들어가서 개척을 하면 쉽게 사람이 모일 것 같았기 때문이었습니다. 그래서 여러 날을 다녔습니다.

다음에는 성남 지역을 다녔습니다. 여러 장소를 다니면서 교회 장소를 결정하는 것이 매우 어렵고 힘든 일이라는 것을 알았습니다. 다리가 많이 붓고 아프고 힘들었지만 미룰 수도 없는 상황이었습니다. 하나님께서 때가 급하다며 교회를 세우라고 하셨는데 불순종할 수가 없었습니다.

다음에는 광명시를 다녔고, 그 다음에는 안산시를 다녀봤지만 마음에 드는 곳이 없었습니다. 그리고 다녀 본 여러 지역 중에서 내 마음은 송파 지역으로 향하고 있었습니다. 그래서 하나님께 송파 지역에 개척할 수 있게 해 달라고 기도하였습니다.

송파 지역은 입주하는 사람들이 경제적으로 여유가 있어서 교회가 빨리 부흥할 수 있을 것 같았고, 시설이 좋아서 생활하기에도 좋겠다는 생각이 들었던 것입니다.

그런데 하나님께서는 아무런 응답도 하지 않으셨습니다. 그리고는 생각지도 않은 광명시에 십자가를 꽂으신 것입니다. 광명시는 가난한 사람들이 많고 건물들도 오래 되어 낡았고 생활하기에도 불편하고 어렵겠다는 것이 나의 생각이었지만, 나는 하나님의 결정에 순종할 수밖에 없었습니다. 나의 뜻을 포기할 수밖에 없었습니다. 그리고 "하나님의 뜻대로 하십시오."라고 순종하였습니다.

교회 시설의 설치

개척 장소가 정해지자 이제는 내부 시설을 준비해야 했습니다. 과거에 다른 분들이 교회를 운영했던 장소라지만 그때는 아무것도 없었습니다.

우리가 얻은 장소는 시멘트 블록으로 지은 2층집이었는데 올라가는 계단은 임시로 만든 것처럼 되어 있어 폭이 좁고 높이도 높았습니다. 할머니들은 다니기가 힘들고 숨이 찰 것 같은 곳입니다. 그래서 의자와 성물도 계단을 통해 올리지 못하고 창문으로 올렸습니다.

교회 장소가 비어 있었기 때문에 보름 전부터 친구들과 직접 내부 시설을 꾸미기 시작하였습니다. 강단을 제작하고 벽과 창문에 페인트칠을 하고 커튼을 달고, 유리에도 중원교회라고 썬팅 작업을 하고 밖에는 간판을 달았습니다.

잠 잘 방에는 책꽂이와 선반을 만들었습니다. 부엌이 따로 없어서 나무와 텐트 천으로 막았고, 수도도 없어서 수도파이프를 연결하여 만들고, 입구 입간판을 붙이는 작업도 모두 친구와 직접 하였습니다.

[제2장] 첫 번째 장소_하나님의 정하심

"기도하라"

1983년 7월 31일, 주일 첫 예배를 드리다

나와 아내와 동생 3명이 드리는 예배였습니다. 하지만 하나님이 함께 계신다는 확신이 있음으로 인하여 즐겁고 행복한 예배를 드렸습니다.

예배 후 방에 들어가니 아내가 예배를 드릴 때 본 일을 말하였습니다. 우리끼리 예배를 드리고 있는데 사람들이 문을 열고 줄을 서서 들어와서 의자에 앉는데 의자가 가득 차게 앉더라는 것입니다. 개척교회에 갑자기 많은 사람들이 들어오는 것이 이상하다고 생각하여 자세히 보니, 사람이 아니라 천사들이 들어와 앉아있더라는 것입니다. 그리고 예배가 끝날 때까지 있다가 하늘로 올라가더랍니다.

이 말을 듣고 나는 '우리 교회는 하나님이 기뻐하시는 교회이고, 하나님이 받으시는 예배를 드렸구나!' 하는 생각과 함께 우리 교회는 틀림없이 부흥한다고 믿어졌습니다. 성도가 한 명도 없는데도 걱정이 되지 않았고 오히려 기뻤습니다.

매일 저녁 기도회

첫 예배를 드린 날부터 매일 저녁 9시부터 12시까지, 아니면 새벽기도회를 하는 5시까지 기도를 하였습니다. 강대상 앞에 장판을 깔아놓고 아내와 함께 앉아서 찬송하고 기도하고를 반복하였습니다.

기도할 때마다 성령 하나님께서 많은 영적인 경험을 하게 하셨습니다. 그래서 저녁 기도회를 하는 시간이 기다려졌습니다.

매일 저녁 새로운 응답과 함께 아내가 입신하여 천국과 지옥을 여러 번 왕래하면서 들은 이야기는 은혜가 되었고, 목회를 준비하고 기도하는데 큰 힘이 되었습니다. 어떻게 해야 바른 목회를 하여 하나님을 기쁘게 하는 길로 가는 것인지 깨닫게 해 주셨습니다.

또 먼저 죽은 사람들을 천국에서 만나기도 하고, 또 다른 사람들을 지옥에서 만나기도 하였습니다.

예수님께서는 경고의 말씀도 많이 하셨습니다. 그 외에도 많은 것들을 깨닫게 되었습니다.

새벽에 나오는 타 교인에게

등록 교인은 없었지만 새벽에 기도하러 나오는 타 교회의 남자 집사가 있었습니다. 우리 교인은 아니지만 처음으로 우리 교회에 나와 준 첫 번째 사람이었습니다. 대화를 하면서 집 앞에 우리 교회가 있어서 새벽에만 나오게 되었다는 것을 알았습니다.

이 집사님은 군대 하사관으로 있다가 전역하였는데, 이것저것 해 보다가 실패하고 지금은 신학을 하여 목회자가 되고 싶다고 하였습니다. 현재 다니는 교회에서 신학을 보내 준다고 하여 열심히 충성하고 있으나, 돈을 벌어오지 못하니 집에서는 부인에게 무시를 당하고 있다고 말하였습니다.

그래서 직업을 달라고 새벽에 기도하러 나온다는 것입니다. 아무튼 어떤 상황인지는 자세히 모르겠으나 새벽기도는 빠지지 않고 열심히 나왔습니다.

그런데 어느 날 낮에 그 집사님이 길거리에서 부인에게 심하게 야단맞는 것을 목격하게 되었습니다. 그 모습을 보자 나도 모르게 도와주고 싶었습니다. 설립예배 때 들어온 감사헌금이 12만 원이었는데 그 중에서 5만 원은 월세를 내고 7만 원을 그 집사님에게 주며, "이것으로 중고 리어카를 사서 과일 장사라도 하십시오."라고 말하였습니다. 그 당시 중고 리어카 가격이 5만 원 정도 하였습니다.

그런데 그 집사님은 아무것도 하지 않았습니다. 급한 데가 있어서 돈을 먼저 써버렸다는 것입니다. 그래도 여전히 새벽에는 열심히 나와서 기도하였습니다.

그 모습을 보고 다음 달에 들어온 헌금 10만 원 중에서 5만 원을 또 한 번 주면서 아무 장사라도 해 보라고 하였습니다. 그러나 이번에도 그 집사님은 아무것도 하지 않았습니다.

'저분은 일할 자세가 안 되어 있구나.'

나는 그분에게 실망하여 모든 것을 포기하였습니다.

그 후 그 집사님은 나에게 미안했는지 자신이 살고 있는 집주인을 전도하여 데리고 왔습니다. 타 교인이었지만 전도는 우리 교회에 해 주었던 것입니다.

그러다가 그 집사님이 다니는 교회가 어떤 사건이 생기면서 없어져 버렸고, 그래서 우리 교회에 등록하게 되었습니다. 얼마 후 재정부장으로 임명하였는데 그때는 교회를 설립 후 몇 달이 안 되었던 터라 남자 집사가 그분 외에는 없었기 때문에 재정부를 맡겼습니다.

지금 생각해 보면 나도 어려운 상황이었는데 어떻게 그분을 도와 줄 생각을 하였는지 모르겠습니다. 아마도 성령님께서 마음을 움직이게 하신 것 같습니다.

2주간 연속 부흥집회

개척 후 두 달 정도 되었지만 등록 교인이 하나도 없어서 친한 선배 목사님에게 부탁하여 함께 2주간 특별 집회를 하였습니다.

교회를 소개하기 위하여 있는 돈을 들여 전단지 일만 장을 인쇄하고 가가호호 직접 뿌렸습니다. 하지만 집회가 시작되자 동네 사람 몇 명만이 왔습니다.

그래도 실망하지 않고 열심히 말씀을 전하고 안수기도를 해 주었더니 사람들의 병이 나으면서 조금씩 더 모이기 시작하였습니다. 또 설교말씀이 은혜가 되었다고 하면서 참석했던 분들이 다른 분들을 모시고 나왔습니다. 그렇게 집회에 참석한 인원이 20여 명으로 늘어났습니다.

몇 명밖에 없었는데 20여 명이 모이니 기분이 좋았습니다. 그중에는 순복음교회를 다니다가 쉬는 분도 있었고, 성복중앙교회를 다니는 분도 참석하였고, 가까이 있는 타 교회 집사님도 참석하였습니다. 또 친구 아버지도 참석하였고 친척 집사님도 참석해 주었습니다.

초청된 강사 목사님은 은사집회를 하는 분이었는데 강력한 성령의 역사가 나타났고 예언도 해 주었습니다. 참석하신 분들이 은혜를 받았습니다.

하지만 은혜는 받았는데 등록한 사람은 한 사람도 없었습니다. 누군들 조그맣고 시설도 부족한 15평짜리 2층 교회에 다니고 싶어하겠습니까?

부흥집회 중에 있었던 사건

가까운 타 교회에 다니는 집사님이 사모하는 마음으로 부흥집회에 참석을 하였습니다. 그런데 이틀을 나오고 안 오는 것이었습니다. 그래서 다른 분에게 물어보았다가 정말 황당한 이야기를 들었습니다.

"그 집사님이 다니는 교회 목사님이 '그 교회는 이단이니 가지 말라' 고 했답니다."

기가 막히는 말이었습니다. 개척 한 지 이제 두 달 되었고 보수적인 교단에 소속되어 있으며 하나님 말씀대로만 전하는 교회를 아무런 근거도 없이 이단이라고 한 것입니다. 처음으로 이단 소리를 들으니 찾아가서 따지고 싶은 충동이 일어났습니다. 하지만 참았습니다. 그 교회 목사님이 연세가 많다고 하는데 젊은 사람이 따지고 들 수는 없으니 하나님께 기도로 아뢰며 이기자고 생각하였습니다.

그 후로 2년이 안 되어서 그 교회는 건물을 어떤 공장에 팔고 어디론가 사라져 버렸습니다.

열심히 전도한 효과

신학교를 다닐 때 학생회를 맡아 운영하면서 전도부장에게 수십 명의 신학생 전도대원들을 데리고 전도하라고 내보내면서도 정작 나는 한 번도 전도를 나가지 못했습니다. 여러 가지 일로 시간을 내지 못했기 때문이었습니다.

그때 전도를 나가지 않은 것을 개척한 후에 많이 후회하였습니다. 다른 일을 미루고서라도 전도를 다닐 것을 잘못했다고 생각하였습니다. 하지만 때늦은 후회였습니다.

그래서 매일 전도할 수 있게 해 달라고 기도하였습니다. 그리고 사나운 뿔난 염소 같은 성도보다는 순한 양 같은 성도들을 보내 달라고 구하였습니다.

그러던 중 부흥회가 끝나고 몇 사람이 등록을 하였습니다. 나는 그 분들과 함께 전도를 하기 시작했습니다. 몸이 아픈 분들, 교회를 다니다가 쉬고 있는 분들, 그리고 예수님을 믿지 않는 분들을 찾아다녔습니다. 우리는 매일 전도하러 다녔고 열심이 있었습니다.

그랬더니 많은 환자가 치료되고 귀신이 드러나고 쫓겨나갔습니다.

또 가정예배를 드리면서 은혜받고 전도가 되어 매주 등록하는 사람이 생겼습니다. 개척을 하고 첫 주일예배를 드릴 때 예배당을 가득 채웠던 천사들의 모습처럼 그렇게 8개월 만에 청·장년 80명이 등록하여 예배당이 가득 찼습니다. 이제는 더 넓은 교회 장소를 구해야 하는 즐거운 고민을 하게 되었습니다.

모 교회의 능력받은 집사

어느 날, 서울에 있는 큰 교회에 다니는 여자 집사님이 찾아와 말하였습니다.

"목사님께 능력이 많다는 소문이 나서 기도를 받으려고 찾아 왔습니다."

"그래서 어떤 기도를 받기 원하십니까?"

"남편이 바람을 많이 피우는데 이혼을 해야 하는지 안 해야 하는지 하나님께 물어 응답을 받아 주십시오."

그래서 예배를 드리고 머리에 손을 얹고 기도하는데 한 30초쯤 지나자,

"분하다! 내가 OOO목사에게도 안 들켰는데 여기서 들키다니!"

갑자기 그 여집사의 목소리가 남자 목소리로 변하면서 이상한 말과 행동을 하는 것이었습니다.

모두 깜짝 놀라 기도하기 시작했습니다. 그때 나는 '속에 있는 귀신이 나타났구나.' 생각하고 귀신에게 물었습니다.

"너는 누구냐?"

"무당이다."

"남자냐, 여자냐?"

"남자 무당이다."

"귀신아! 그 몸에서 나가라!"

"나간다! 나간다!" 하면서 안 나갔습니다.

그날부터 이 여집사는 우리 교회에서 하는 매일 저녁 9시 기도회에 참석하여 석 달 동안 박수무당을 쫓는 기도를 하였습니다. 지독히도 안 나갔지만 많은 사람들이 이 일을 보고 하나님을 믿기로 결심하게 되었습니다. 이것은 전도에 큰 도움이 되었고, 또 교회에 나오는 성도들로 하여금 각성하여 하나님을 잘 믿으려고 노력하게 하였습니다. 이 사건이 교회에 큰 유익이 되었던 것입니다.

귀신을 추방하는 기도를 어떻게 해야 할 줄 몰라 무조건 기도하고 "귀신아 나가라!" 하였는데 매우 힘이 드는 기도였습니다. 나중에는 육체가 탈진되는 것을 느꼈습니다.

그 여집사는 박수무당이 드러나고 나서 지나온 일들을 말하기 시작했습니다. 자기는 등록 교인 5,000명이 넘는 교회에서 능력을 받아 예언자로 살았다고 합니다. 그래서 많은 성도들과 목회자들이 예언을 받으러 왔다고 합니다. 자기도 본인 속에 성령님이 계시는 줄 알았지 귀신이 들어있다는 생각은 추호도 한 적이 없다고 합니다.

그랬는데 지금까지 예언한 것이 성령님이 아닌 무당 귀신이 들어와 말했다는 것을 알게 되자 너무 끔찍하다고 하였습니다.

자기 교회에도 은사를 받은 자가 많은데 아무도 이런 것을 말해 주는 사람이 없었다고 합니다. 자신의 문제를 놓고 기도하면 남편이 어떤 여관 몇 호실에 있으니 가 보라고 하여 다른 여자와 있는 현장을 몇 번이나 잡았다고 합니다.

이런 남편을 어떻게 해야 할지 몰라 물어 보면 이혼하라고 한다고 합니다. 결국 '아이가 둘이나 있어서 이혼하고 싶지 않은데…. ' 하는 생각에 나를 찾아 왔다는 것입니다. 그리고 이곳에서 자기 속에 있는 가짜 예언자를 발견한 것입니다. 여집사는 이제 부끄러워서 전에 다니던 교회를 다닐 수가 없다고 말하였습니다. 그리고 그 교회가 자신의 영적인 문제를 해결해 주지 못하기 때문에 이곳으로 이사 와서 처음부터 다시 시작하겠다고 하였습니다.

결국 그 여집사는 집을 정리하고 광명시로 이사와 우리 교회에 등록을 하였습니다.

개척할 때의 신혼 생활

우리가 살고 있는 방은 교회 옆에 가로 7자, 세로 6자 되는 좁은 공간이었는데, 부엌도 없이 구석의 한 평 정도 되는 공간에 수도를 올려서 천막으로 막고 사용하였습니다.

부엌이 없으니 불편도 하고 겨울에는 물이 얼어 사용할 수 없어서 양동이로 1층 수돗가에서 물을 길어 와 사용하였습니다. 2층으로 올라오는 계단도 매우 가파르고 좁았습니다. 뚱뚱한 사람은 옆으로 비켜서서 올라와야 할 정도였습니다.

또 화장실은 1층으로 내려가 한참 돌아가서 재래식 공동화장실을 사용해야 했습니다. 그래도 남자인 나는 견딜 수 있었지만 아내는 매우 힘들어 하였습니다. 시집오기 전에는 수세식 화장실이 갖춰져 있는 넓은 집에 살다가 좁고 시설도 제대로 갖추어져 있지 않은 곳에서의 생활은 매우 불편하였을 것입니다. 하지만 연약한 몸인데도 잘 참고 견디고 있었습니다.

무엇보다 책이 필수로 있어야 설교 준비를 할 수 있기 때문에 어머니 집에 맡겨 놓았던 책들 중에 꼭 있어야 할 책들은 가져 와야 했습니다. 그 좁은 공간에 책도 놓아야 하고 이불도 놓아야 하고 몇 가지 옷도 놓아야 합니다.

그런 공간을 만들기 위해서는 직접 제작하는 것 밖에 다른 방법이 없었습니다. 먼저 얇은 화판을 구입하여 톱으로 절단하고 직접 책꽂이를 제작하였습니다.

내 키가 180cm입니다. 여섯 자이기 때문에 일곱 자 길이가 되는 쪽으로 발을 뻗어야 잘 수 있습니다. 그래서 바닥에서부터 책꽂이를 설치하되, 한쪽은 가장 밑바닥에서 위로 40cm쯤 공간을 두어 발이 들어가게 하였습니다. 반대쪽은 시골에서 흔히 보는 선반을 만들어 이불을 올리고 옷가지를 둘 수 있도록 하였습니다.

신혼생활이 무슨 소꿉장난 하는 것 같았습니다. 이렇게 어렵게 살았지만 매일 저녁 기도하면서 하나님이 함께 하시며 은혜를 주셔서 한 번도 불행하다고 생각해 보지 않았습니다. 아내도 목회자는 모두 이렇게 사는 것인 줄 알고 감사하게 생각하였습니다.

개척 당시의 나의 계획

개척 당시 500만 원이 있었습니다. 그 돈에서 250만 원은 보증금, 220만 원은 의자와 강단과 강대상, 그리고 커튼, 페인트칠, 간판까지 했습니다. 남은 30만 원은 생활비로 두었습니다.

그리고 하나님 앞에서 매일 철야하면서 기도하였습니다.

"하나님! 이것이 나의 전부입니다. 이 30만 원을 한 달에 5만 원씩 생활비로 사용하겠습니다. 6개월 후, 교회가 부흥되지 않고 생활을 할 수 없다면 목회를 그만두겠습니다. 세상에 나가서 장사를 하든지 리어카를 끌든지 하면서 생활하겠습니다. 나는 개척할 자신이 없는데 하나님이 교회를 세우라고 하셔서 순종하는 것입니다. 그러니 하나님이 책임지셔야 합니다. 하나님이 먹을 것을 걱정하지 않도록 책임지겠다고 하셨으니 믿고 순종한 것입니다."

하나님은 나와의 약속을 철저히 지키셨습니다. 개척한 이후로 한 번도 생활비로 걱정하지 않도록 기적을 베푸셨습니다.

사택 전세를 얻게 되다

개척교회를 하고 있는 동안 아내가 유산을 두 번이나 하였습니다. 교회가 부흥하면서 마음은 행복했지만 아내의 몸이 허약하여 병원에 자주 가기도 하고 입원하기도 하였습니다. 이 이야기를 들은 장모께서 와서 사는 것을 보시더니 너무 불쌍하다며 방을 얻으라고 200만 원을 주겠다고 하셨습니다.

그래서 사모와 둘이 방을 얻으러 여러 곳을 다녀 보았지만 200만 원으로 방을 얻기는 힘들었습니다.

그러던 중 어떤 집 1층에 방 하나에 부엌이 좁다고 하는 곳을 보게 되었습니다. 아내가 시집 올 때 가지고 온 옷장을 둘 곳이 없어서 어머니 집에 있었는데 방이 크니 옷장을 놓을 수 있었고, 부엌이 크기는 좁으나 실내에 있으니 겨울에 추위를 피할 수 있어서 좋았습니다. 더 좋은 것은 화장실이 수세식으로 되어 있다는 것이었습니다.

그래서 그 집으로 결정하고 이사하며 하나님께 감사하였습니다. 또 도와주신 장모에게도 감사하였습니다. 이렇게 조금씩 이루어가는 것이 즐겁고 행복하였습니다.

이러한 행복은 잠시였습니다. 몇 달 후 교회를 이전할 때, 전세보증금이 부족하여 사택 전세금을 빼 사용해 버리고 다시 교회 옆으로 방을 만들어 들어가게 되었습니다.

8개월 만에 청·장년 80명 등록

첫 예배는 3명, 그 후 두 달 동안은 한 명도 등록하지 않았습니다. 그러나 부흥집회 후 사람들이 등록하기 시작하면서 8개월 후에는 청 · 장년 80여 명이 등록되었고, 예배 인원은 50여 명이 되었습니다. 이제 15평 공간으로는 장소가 부족하여 더 넓은 장소를 구해야 했습니다.

하나님은 나에게 기도를 많이 시키시더니 짧은 기간에 교회를 부흥하게 하셨습니다. 이것은 내가 한 일이 아니며 성령 하나님이 하신 일입니다. 나이도 어리고 목회도 어떻게 해야 할지 모르는 나에게 기적을 일으켜 주신 것입니다.

[제3장] 두 번째 장소 _ 텍사스촌

"어떤 곳에서도 하나님이 도우시면 부흥한다"

두 번째 장소 광명 텍사스촌

가까운 곳에 넓은 장소를 얻어 교회를 이전하고 싶었지만, 교회 장소로 적합한 곳은 집주인들이 교회로 사용하는 것을 싫어해서 임대를 내주지 않는다고 합니다.

그래서 얻지 못하고 있다가 술집 골목 2층에 비어 있는 공간이 있다는 연락을 받고 가서 보았습니다. 집 주인도 교회가 들어와도 된다고 하였고, 여기서 더 좋은 장소를 얻을 돈도 없고 현재 우리 사정에 맞는 곳이어서 즉시 계약하고 빨리 이사를 하였습니다.

건평 36평에 보증금 600만 원, 월세 10만 원이었습니다. 15평에서 있다가 36평을 보니 넓은 궁전 같이 보였습니다.

전 장소의 보증금이 250만 원이었으니 350만 원이 부족하였고, 이사 비용과 실내 인테리어 비용 등을 합치면 450만 원이나 부족하였습니다. 그래서 이런 교회의 사정을 성도들에게 설명하고 특별 이전 헌금을 하였으나 대부분 초신자들이고 가난한 분들이라 헌금이 없었습니다.

할 수 없이 나와 사모는 다시 교회 안에 칸막이로 방을 만들어 들어가기로 하고, 처갓집에서 얻어 준 사택 보증금을 빼서 보태야 했습니다. 그렇게 해도 모자라서 사촌 형수님을 찾아가 말씀드렸더니 집을 담보로 해서 200만 원을 빌려 주셨습니다.

너무나 고마웠습니다. 아무도 도와주는 사람이 없었는데 큰돈을 빌려 주시니 고맙고 감사했습니다. 성도들 중에서는 한 사람도 빌려 오는 사람도, 헌금하는 사람도 없었는데 그래도 하나님을 믿는 형수가 고마웠습니다.

이렇게 돈을 마련하여 또다시 직접 강단도 짜고 칸막이도 하고 방도 들이고 부엌도 만들어 두 번째 술집 골목 목회가 시작되었습니다.

장소 36평 중 25평은 교회, 3평은 방, 2평은 주방, 1평은 서재, 5평은 유모실, 5평은 복도와 화장실로 꾸몄습니다. 다행히 창고로 사용할 수 있는 베란다가 뒤에 있었습니다.

이 건물은 철근 콘크리트로 지어져서 겨울에 춥지 않을 것 같아 좋았고, 창문도 이중으로 되어 있어 방음도 되고 단열도 잘 될 것 같았습니다. 이곳을 꾸미면서도 고생한다는 생각보다는 행복했고, 이사하면서도 행복했습니다.

교회를 하기 힘든 술집 골목

교회가 새로 이사한 장소는 150m 정도 되는 골목인데 중간 건물의 1층은 식당을 하고 있었고, 우리가 2층에 교회를 얻은 것이었습니다. 건물 주인은 천주교인이었습니다.

그런데 낮에 다닐 때는 모두 문을 닫고 있어서 그냥 술집이거니 했는데, 이사를 한 후 저녁에 그 길을 다니려고 하니 민망해서 다니기가 어려웠습니다.

밤에는 아가씨들이 위아래로 짧은 옷을 입고 유리창 안에 앉아서 지나가는 남자들을 부르며 유혹하는 것이었습니다. 그 골목에 들어서면 눈을 어디에 둘 수가 없어 앞만 보고 빠른 걸음으로 지나가야 했습니다.

'이런 곳인 줄 알았으면 얻지 말 것을…' 하고 후회도 하였습니다. 그리고 이번에는 교회를 옮기려고만 생각했지 하나님께 기도하여 응답도 받지 않았습니다. 큰 실수를 한 것입니다. 하지만 이미 엎질러진 물과 같은데 어떻게 하겠습니까? 그저 걱정이 태산 같아지기만 하였습니다.

'이런 곳에서도 교회가 부흥할 수 있을까? 이런 곳에 성도들이 지나다닐 수 있을까?'

남자도 힘들겠지만 여자 성도는 더 힘들겠다는 생각이 들었습니다. '아이들과 청소년들은 부모가 보내지 않겠구나. 지금은 교회학교가 없

으니 다행이지만 교회학교를 시작하면 과연 아이들을 보내게 될까?'

이곳은 양쪽에 '청소년 출입금지' 라는 표지판이 걸려 있는 곳이었습니다.

'그런데 왜 나는 그것을 못 보았을까?'

별 생각이 다 들었습니다. 하지만 때늦은 후회였습니다.

오빠, 쉬었다 가세요

하루는 내가 우리 교회 앞으로 지나가는데 아가씨 한 사람이 말을 걸었습니다.

"오빠, 쉬었다 가세요~"

나는 그 소리를 듣는 순간 어쩔 줄 몰라 달려서 교회로 들어왔습니다. 그때 뒤에서 웃는 소리가 들렸습니다.

나는 강단에서 기도하였습니다.

"하나님 아버지! 이 골목을 자유롭게 다닐 수 있게 해 주십시오. 강하고 담대하게 해 주십시오!"

그리고 며칠이 지났습니다. 또 아가씨가 "오빠, 쉬었다 가세요~"라고 하였습니다. 그러자 그 옆의 아가씨가 "저분은 2층 교회 목사님이셔."라고 하는 것입니다. 나는 그 소리를 들으며 빠른 걸음으로 교회로 들어왔습니다.

어떻게 이 골목을 다녀야 할지, 앞으로도 계속 이런 식으로 나를 놀릴 터인데 어떻게 이것을 극복해야 할지 걱정이 되었습니다. 하나님께 이것을 해결할 수 있는 방법을 달라고 기도할 수밖에 없었습니다.

며칠 후 또 골목을 지나가는데 아가씨가 말합니다. "목사님, 쉬었다 가세요~" 하고는 자기들끼리 낄낄거리며 웃어댑니다. 나는 얼굴이 홍당무가 되어 정신없이 교회로 뛰어 들어왔습니다.

그 당시 내 나이가 31살이었는데 인생 경험이 부족하여 지혜롭게 대처할 방법이 떠오르지 않았습니다.

'저 여자들이 내가 목사인줄 알면서도 저러는 것은 나를 놀리는 것인데 어떻게 해야 할까?'

갈수록 근심이 되었고 나는 계속 철야를 하면서 하나님께 지혜를 달라고 기도하였습니다.

"내가 이렇게 다니기 어려운데 교인들이 이 골목을 어떻게 들어오겠습니까? 그러니 하나님! 여기서도 교회가 부흥하여 다른 곳으로 이사를 가야 하는데 길을 열어 주십시오."

이렇게 기도하던 어느 날, 하나님께서 응답을 주셨습니다.

첫째는 '강하고 담대하라. 여호수아처럼 강하고 담대하라.' 하셨고,

둘째는 '하나님이 함께 하신다.' 는 것이었고,

셋째는 '그들을 위해 기도하고 전도하라.' 는 것이었습니다.

나는 하나님께 "강하고 담대하게 저들을 전도할 수 있는 사람이 되게 하시고 이 골목을 없애 주십시오."라고 기도하기 시작하였습니다.

그리고 며칠이 지났습니다. 그 골목을 지나가는데 아가씨가 또 "목사님, 쉬었다 가세요~"라고 하는 것입니다.

나는 용기를 내어 그 아가씨 앞으로 뚜벅뚜벅 큰 걸음으로 걸어갔습니다. 그리고는 "아가씨, 내가 쉬었다 가면 아가씨는 교회 나올래요?" 라고 반문하였습니다.

그랬더니 "아니예요! 아니예요!"하면서 황급히 방안으로 들어가 버렸습니다.

그 다음부터 내가 그 골목을 지날 때 '목사님, 쉬었다 가세요.' 하는 소리가 없어졌습니다. 그 후로 자유롭게 그 골목을 다닐 수가 있게 된 것입니다. 이런 이야기를 설교시간에 성도들에게 말했더니 여기저기서 빵하고 폭소가 터졌습니다.

술집 아가씨들 전도

이제 본격적으로 술집 아가씨들을 찾아가 교회에 나올 것을 권유하기 시작했습니다. 그중에 한 아가씨가 낮에 교회 와서 기도를 하였는데 그 아가씨와 대화를 하면서, 다른 여러 술집에서 일하는 아가씨들에게도 언제든지 이 교회에 나와서 기도를 해도 되고 피아노를 쳐도 된다고 전하라고 말하였습니다.

그 후부터 아가씨들이 자주 교회 와서 피아노도 치고 기도를 하였고, 주일날에는 5~6여 명의 아가씨가 나와 예배를 드렸습니다.

그 아가씨들과 상담을 하면서 알게 되었습니다. 그중에 어떤 이는 장로님 딸이라 하였고, 어떤 이는 교회학교 교사를 했었다고 합니다. 어떤 이는 교회학교를 열심히 다녔었다고 하고 나머지도 모두 과거에는 교회를 다녔던 사람들이었습니다. 잃어버린 양을 다시 찾은 것입니다.

어떻게 해서 이런 곳으로 오게 되었느냐고 물었더니, 돈을 많이 벌게 해 준다고 해서 왔다가 이렇게 되었다고 말합니다. 돈을 사랑함이 일만 악의 뿌리가 된다는 말씀이 맞는 것 같습니다.

그들은 약 3개월 정도 교회를 다니다가 나를 찾아와서 고맙다는 인사를 하고 다른 곳으로 떠났습니다. 다시는 술집 같은 곳에서 일하지 않고 힘들어도 공장에서 일하겠다고, 그리고 하나님을 꼭 믿겠다고 하며 떠났습니다. 보기에 아주 좋았고 기뻤습니다.

창기가 번 돈

어느 날, 술집의 한 아가씨가 찾아와서 주일 예배에 사용하는 강단의 꽃꽂이를 하겠다고 하였습니다. 그 아가씨는 그동안 하나님의 은혜를 많이 받고 다시 하나님을 찾게 된 것이 기뻐서 꽃꽂이를 하겠다는 것입니다. 나는 그 아가씨가 고맙고 감사했습니다. 하나님께 무엇인가 드리고 싶은 마음이 생겼다는 것이 좋게 느껴졌습니다. 그래서 허락하였습니다.

그 아가씨는 목요일 날 꽃을 사다가 정성껏 꽃꽂이를 하였습니다. 새벽시간에 술집 아가씨가 은혜를 받고 강대상 양옆에 꽃꽂이를 하였다고 말하였더니 성도들도 함께 기뻐하였습니다. 하나님이 기쁘게 받으실 것이라고 생각하였습니다.

그런데 그 다음날, 어떤 집사님에게서 전화가 왔습니다.

"목사님, 이상한 꿈을 꾸었습니다. 강단 꽃꽂이를 해 놓은 곳에 꽃이 아니고 뱀들이 우글거립니다."

또 기도를 많이 하는 전도사님에게서 전화가 왔습니다. 강단의 꽃들이 모두 말라 비틀어져 있는 꿈을 꾸었다는 것입니다. 아무래도 이상해서 사모와 함께 하나님께 기도해 보자고 하였습니다. 과연 저 꽃을 하나님이 받으시는지 안 받으시는지 여쭈어 보자고 하면서 기도하였습니다. 그랬더니 꽃이 아닌 뱀이 꽃처럼 꼿꼿이 서 있는 것이었습니다.

"하나님! 막달라 마리아도 용서하시고 받으셨는데 저 꽃은 왜 안 받으십니까?"

하나님께서는 "회개치 않은 자의 것은 받을 수 없다."이렇게 말씀하셨습니다. 이 말은 그 아가씨가 술집을 떠나 새로운 삶을 살면서 드려야 받으시겠다는 것입니다.

지금 드린 것은 몸을 팔아 받은 것으로 드렸기 때문에 받을 수 없다는 것이었습니다. 그러면서 다음 말씀을 주셨습니다.

(신 23:18) "창기가 번 돈과 개 같은 자의 소득은 어떤 서원하는 일로든지 네 하나님 여호와의 전에 가져오지 말라 이 둘은 다 네 하나님 여호와께 가증한 것임이니라"

하나님은 정확하신 분임을 깨달았습니다. 창기 일을 하여 번 돈으로 드린 것은 받지 않겠다는 것입니다. 회개하고 사회에 나가서 정당하게 번 돈으로 드리면 받으시겠다는 말씀이었습니다. 여기서 나는 하나님의 말씀이 살아 있다는 것을 배웠습니다.

나는 그 아가씨를 불러 응답받은 내용을 설명해 주었습니다. 그녀는 눈물을 흘리며 회개하고 고맙다고 하였습니다. 그리고 살아 계신 하나님을 알게 되어 기쁘다고 말하였습니다.

그 아가씨는 장로님 딸이었는데 눈물로 회개하였습니다. 다시는 이런 곳에서 일하지 않고 힘들어도 성실하게 살겠다고, 신앙생활도 철저하게 하며 하나님께 충성하겠다고 고백하였습니다. 며칠 후 그녀는 그곳을 떠났습니다.

나는 그녀가 한 꽃꽂이를 내리고 전에 꽃꽂이를 하시던 집사님께 다시 부탁하였습니다.

주일을 지키다가 좋은 장소를 남에게 빼앗김

술집 골목에서 힘들게 부흥하고 있었지만 빨리 이곳을 벗어나 좋은 장소에서 목회를 하는 것이 소원이었습니다. 그래서 교회 부흥과 목회하기 좋은 장소를 달라고 매일 철야기도를 하였습니다. 술집 골목으로 이사하고서도 1년에 300일은 강단에서 기도하고 잠을 잤습니다. 이렇게 3년이 지나갔습니다.

계속 복덕방을 돌아다니면서 좋은 장소가 나왔는지 탐문하고 다니는데, 교회 옆 골목에 60평짜리가 싼 가격에 나왔다고 하였습니다. 가 보았더니 장소도 좋았고 보증금과 월세도 우리가 감당할 만한 정도였습니다. 아무리 좋은 장소가 나와도 비싸면 얻을 수가 없습니다. 우리가 감당할 수 없으면 좋은 장소라도 들어갈 수가 없는데 그곳은 딱 좋았습니다. 그리고 길목이 좋았습니다. 주택가로 깊이 들어가는 길목이라

많은 사람이 다녔고 마음에 들었습니다.

그날이 토요일 오후였습니다. 그래서 복덕방을 통해 "내일이 주일이므로 월요일에 돈을 가지고 와서 계약할 터이니 아무에게도 주지 말아 주십시오." 라고 주인에게 전하였고 확답도 받았습니다.

그리고 주일 낮 예배를 드리고 임시제직회를 열어 새로운 장소를 설명하고 만장일치로 가결을 하였습니다. 주일에는 계약을 할 수 없으므로 들뜬 마음으로 밤을 지내고, 다음날 오전 9시에 은행 문이 열리자마자 돈을 찾아가지고 복덕방으로 갔습니다.

복덕방 주인이 집주인에게 계약하러 오시라고 전화를 걸었습니다.

"어제 교회하고 계약했는데요?"

"그게 무슨 소리입니까?"

"어제 교회에서 계약하자고 연락이 왔길래 토요일에 말한 그 교회인줄 알고 계약했는데요."

"……!"

복덕방 주인과 나는 매우 실망하였습니다. 복덕방 주인이 어떻게 된 일인지 여기저기 전화해서 알아보니, 내용인즉 어제 구로구에 있는 어떤 교회가 근처 다른 복덕방에 찾아왔는데 장소를 보더니 마음에 들어 바로 계약 해 버렸다는 것이었습니다.

나는 성수주일을 위해서 월요일에 계약하려고 한 것인데 야속하게도 다른 교회에 빼앗겨 버린 것입니다.

실망도 되고 한편으론 화가 나기도 하고 하나님이 원망스럽기도 하였습니다. 하지만 하나님께 원망할 수는 없었습니다. 주일날 다른 교회하고 계약했다는데 무어라 말하겠습니까? 이미 어쩔 수 없는 일이었습니다.

나는 교회로 돌아가서 '언제 이 골목을 떠나 목회를 하게 될까? 그 때가 언제일까? 1년 후, 아니면 2년 후, 아니 5년, 10년 후일까?' 답답하고 괴로운 마음으로 기도하였습니다.

며칠 째 철야하며 기도하고 있는데 사모도 나와서 함께 기도하였습니다. 내가 며칠 째 실망하고 있는 모습을 보고 함께 기도하였습니다. 그리고 하나님의 응답을 받아주었습니다.

"하나님이 더 기도하고 기다리래요. 그러면 좋은 곳을 주신답니다. 그리고 주일날 계약한 교회는 하나님의 법을 여겼으니 복을 주지 않겠다고 말하십니다. 목사님이 주일을 지킨 것은 잘 하신 일입니다."

그 말을 들었어도 그때는 그런가 보다 했지 신바람은 나지 않았습니다.

세월이 흘러 정말 우리 교회는 크게 부흥하였고 광명시에서 제일 큰 성전을 짓고 있었습니다. 하지만 주일을 어긴 그 교회는 지금도 20여 명이 모인다고 들었습니다. 하나님은 말씀대로 하셨습니다.

안양에 사는 정신 이상 증세 청년

소문을 듣고 찾아왔다면서 한 노인 집사님이 여자 청년을 데리고 왔습니다.

그 청년의 어머니 말에 의하면 이 청년에게 정신 이상이 와서 병원에 입원시켰지만 치료가 되지 않았고, 대소변을 가리지 못하는 상황이 되자 병원에서 퇴원하라고 해서 나왔다고 합니다. 정신 이상을 치료한다는 기도원에서 지내면서 기도도 받고 해 봤지만 더 심해졌다고 합니다. 이렇게 된지 벌써 몇 년이 되었다고 합니다.

그 여자 청년을 보니 키도 크고 예쁘게 잘 생긴 얼굴인데, 병에 걸리니 추하고 보기 흉하게 보였습니다. 그 어머니의 고생이 심했다는 것을 알 수 있었습니다.

그날부터 그 청년 한 사람을 위해서 매일 작정 예배와 기도회를 가졌습니다. 그러자 매일 조금씩 좋아지더니 마귀가 나갔고, 2주 후에는 완전하게 치료가 되었습니다. 하나님께서 하신 일이었습니다. 나는 종으로서 주인의 말씀을 믿고 순종한 것뿐입니다.

그 청년은 학생 때 세례를 받은 상태여서 치료된 후 바로 성가대에서 헌신하였습니다. 그렇게 6개월쯤 우리 교회를 다니며 정상적인 생활을 하였는데, 어느 날 그 청년의 어머니가 안양에서 다니려니 멀어서 가까운 교회로 다니고 싶다고 하는 것입니다.

그래서 그 여자 청년과 어머니는 그 후 가까운 교회를 다녔습니다. 그리고 2년이 지났습니다. 나는 까마득히 잊어버리고 있었는데 그 청년의 어머니가 다시 나를 찾아왔습니다. 그러면서 딸 이야기를 하는데 계속 건강하게 질 지내다가 얼마 전부터 다시 옛날의 증세가 나타나 지금은 아주 심한 상태라고 하였습니다. 그래서 지금 어디 사시는지 물었더니 목포에서 살고 있다고 합니다.

데리고 오면 기도해 주시겠느냐고 물어왔습니다. 사실 마음은 상했지만 어떻게 하겠습니까? 기도해 주어야지요. 그게 목회자의 사명인 것을 하는 마음으로 다시 데리고 오라고 말하였습니다.

그렇게 "네." 하고 갔는데 무슨 이유에선지 그 어머니는 다시 오지 않았습니다.

성도들이 알아야 할 것은 자기의 영혼을 치유하는 교회에 출석해야 한다는 것입니다. 그래야 살게 됩니다.

목회를 그만하려고 했다가 예수님을 만남

술집 골목에서 5년을 목회하였습니다. 이 5년의 시간은 나의 목회 기간 중에 제일 힘든 시절이었던 것 같습니다.

교인이 100여 명이 되다 보니 생활은 걱정이 없었습니다. 하나님이 약속하신 것처럼 먹는 문제로 염려할 것이 없었습니다. 하지만 다른 일들이 마음을 괴롭혔습니다.

나는 하나님을 믿는 사람들은 정직하고 성실하며 진실한 것으로 알고 있었습니다. 그런데 교회 안에는 그렇지 못한 사람들이 많았습니다. 교만하고 남을 무시하고 거짓말을 잘 하고 돈 밖에 모르고 무지하여 상황 판단도 못하고, 자기 의무는 행하지 않으면서 권리는 주장하고 남의 돈을 떼어 먹는 등 …. 성도들이 속 썩이는 일로 도저히 마음이 상해서 목회하기가 싫어졌습니다.

교회 안에는 천사표 같은 사람들만 있는 줄 알았는데 마귀표의 사람들도 많이 있었습니다.

그래서 두 번이나 제직회를 열어 사직하겠다고 말하였습니다. 그러나 일부 제직들이 "속 썩이는 사람 몇 명 때문에 이 많은 사람들을 버리고 그만두면 안 됩니다." 하며 만류하여 참고 지내왔습니다.

그러나 또 크게 속상하는 일들이 생겼습니다. 그래서 아내와 저녁을 먹으면서 말했습니다.

"여보! 우리 목회 그만두자. 이제 더는 못 참겠다! 그러니 이번 주일에는 사직을 하고 나가서 장사를 하든지 리어카를 끌든지 해서 살자."

"그렇게 해요. 나도 사모하기 힘들어요. 목사님이 리어카 끌면 뒤에서 밀어드리겠어요."

"그래! 이번에는 교인들이 아무리 말려도 그만두는 거다!"

이렇게 둘이서 마음의 결심을 굳게 하였습니다.

그때 갑자기 하늘에서 예수님이 나타나셨습니다. 십자가에 달리셔서 가시면류관을 쓰고 뚝뚝 피를 흘리고 계셨습니다. 너무 힘들고 고통스러운 모습이었습니다. 그 피가 우리를 향하여 떨어졌습니다. 그때 예수님이 우리를 보시며 말씀하셨습니다.

"종아, 나보다 더 힘이 드느냐 … ?"

그 모습을 보고 그 음성을 듣는 순간,

"아닙니다, 주님! 제가 잘못했습니다! 용서해 주십시오! 다시는 그런 말 하지 않겠습니다!"

하고 눈물을 흘리며 회개하였습니다. 주님은 사라지셨고 우리는 2시간 동안 주님께 너무 부끄럽고 죄송하고 미안한 마음으로 회개하였습니다.

그리고 결심하였습니다. 다시는 죽는 날까지 힘들다고 마음이 괴롭다고 성도가 속을 상하게 한다 해도 목회하지 않겠다는 말은 입으로 하지 않겠다고 결심하고 기도하였습니다.

그 시간이 지나고 나니 기분이 좋아졌습니다. 주님을 만나고 나니 힘이 솟았습니다. 이런 어려움은 아무것도 아니라는 생각이 들어 기뻤습니다. '더 열심히 하나님의 일을 해야지!' 하는 마음이 들었습니다. 그래서 더 열심히 하였습니다.

감리교 목사님의 전화

주일을 지키기 위해 좋은 장소를 얻지 못한 지 2년이 지났습니다. 나는 마음이 급했지만 하나님은 급하지 않으셨습니다. 좋은 곳을 주시겠다는 말씀을 들은 지가 2년이 지난 것입니다.

그러던 어느 날, 한 번도 만나지 않았던 감리교 목사님에게서 전화가 왔습니다. 그 목사님 교회가 하안동 아파트단지 상가로 이사하게 되었는데, 지금 그 목사님이 있는 교회 장소를 우리가 얻지 않겠느냐고 물어 온 것입니다.

평수는 58평이고 보증금 3,000만 원에 월세 30만 원이었고, 집 주인이 안양의 OO교회 집사인데 교회에게 월세를 많이 받지 않는다고 하였습니다. 나는 즉시 우리가 하겠다고 대답하였습니다.

우리가 얻기로 한 교회 장소는 우리 교회 옆의 큰길가에 있으면서 골목으로 들어서는 첫 번째 건물이었습니다. 우리 교회에서 150m 떨어진 교회였습니다. 우리에게 딱 맞는 장소였고 지금까지 교회 건물로 사용하였으니 수리비 들 일도 별로 없었습니다.

그래서 즉시 임시제직회로 모여 교회를 옮기기로 결정하였습니다.

[간증] - 박선하 집사

저는 모태신앙으로 태어나 시골 교회에서 조용히 신앙생활을 하다가 광명으로 올라와 오병이어교회를 다니게 되었습니다. 예배시간마다 듣던 담임목사님의 설교 말씀에 많은 은혜를 받아 스스로 예배에 나가고픈 마음을 갖게 되었고, 더 큰 은혜를 사모하게 되었습니다.

그러면서 저는 새벽기도를 작정하며 시작하였고 기도훈련도 받았습니다. 간절히 기도의 즐거움을 느끼고 방언의 은사를 사모하였는데 하나님께서 수련회 기도회를 통해 바로 응답해 주셨습니다. 그 후로도 저는 기도가 즐거웠고 많은 시간을 기도하며 신앙훈련을 받으며 이렇게 전도자의 삶을 살아가고 있습니다.

하나님은 평범한 아기엄마였던 저를, 부끄럽지만 복음을 전하는 도구로 사용해 주셔서 목자 파송을 받고 3명의 목장원에서 전도를 통해 등록 수 250명이 넘는 부부 조를 이루며 많은 열매를 맺게 해주셨습니다. 이 모든 것이 하나님의 전적인 은혜이고, 또한 전도훈련을 통해 전도자로 세워주신 담임목사님의 노고라고 믿습니다.

이러한 열매를 맺기까지 새가족 공부와 십자가의 길 양육시스템이 가장 큰 원동력이었습니다. 새신자들이 새가족학교를 듣고 나면 "목사님의 새가족학교 공부는 박수가 절로 나온다."며 간증을 하시고, "양육 공부가 어쩜 이리도 쉽고 체계적으로 준비되어져 있느냐?"고 하시며 한 과가 끝나면 다음과를 궁금해 하시고 모든 양육 공부를 마치십니다.

이러한 효과적인 양육시스템을 통해서 1년이 지나면 목자로 세워지는 경우들을 많이 보게 되어 감사 할 따름입니다.

[제4장] 세 번째 장소 _ 하나님의 축복

“기다리라 때가 되면 이루리라”

세 번째 장소로 이전

세 번째 장소로 이전하면서 얼마나 기뻤는지 모릅니다. 이제 술집 골목을 벗어났다는 기쁨과 함께 보다 넓은 장소로 이전하니 새로운 기분이 들었습니다. 그래서 새로 개척하는 마음으로 시작하였습니다.

처음부터 철저히 하겠다는 마음을 먹고 첫째는 기도하는 교회, 둘째는 전도하는 교회, 셋째는 제자 훈련하는 교회, 넷째는 성경공부하는 교회를 만들 목적으로 열심히 뛰었습니다.

1년 만에 100명이 늘어났고, 계속 부흥이 되어 장년 주일 낮 예배를 4부로 드렸습니다.

교육관도 옆 건물을 얻어 사용하였습니다. 길 건너에는 식당을 얻어서 주일 중식을 좋은 곳에서 먹을 수 있었습니다. 또 사무실도 얻었습니다.

세 번째 장소에 5년 동안 있으면서 교회는 크게 부흥하였습니다. 하나님께서는 모든 것을 예비하셨습니다.

하나님의 말씀을 믿고 기다리면 하나님의 약속대로 모두 받게 되는 것을 확실히 알았습니다.

제자 훈련 중심으로 성장

술집 골목도 벗어났고 예배당 평수도 넓어져서 이제 제자 훈련을 열심히 해 볼 수 있겠다고 생각하였습니다.

그래서 학습반, 세례반, 초급반, 중급반, 고급반을 편성하여 체계적으로 제자를 양육하기 시작하였습니다. 또 성경공부반을 개설하여 크로스웨이 성경 대학 1권, 생활편 2권, 구약편 3권, 신약편을 2년 코스로 만들어 운영하였습니다. 그것으로 부족하여 C.C.C 10단계 성경공부, 네비

게이트 성경공부, 주제별 성경공부 등 많은 성경공부를 하였습니다.

이렇게 열심히 성도들을 교육했더니 신앙이 성장하고 하나님께 충성하는 일꾼들이 많이 배출되었습니다.

개척하여 성령집회를 3년간 했는데 은혜를 받거나 성령 체험을 할 때는 잠시 충성하다가 6개월이 지나면 다시 예전 모습으로 돌아가는 것을 많이 보았던 터입니다.

그런데 성경공부와 제자훈련은 성도들이 은혜를 받으면서도 오래 지속되고 교회 일꾼이 되어 중진으로 세워져 갔습니다.

그래서 나는 개인적으로 제자훈련이 더 좋다고 생각합니다. 그러나 성령의 역사와 경험도 중요하다고 봅니다.

성령집회를 통해 에너지 공급

성도들이 세상살이에 힘들고 지치니까 영성도 함께 떨어져서 신앙생활의 즐거움을 잊어버리고 지쳐있는 모습을 많이 보았습니다. 그래서 성령의 에너지를 공급받아 힘 있는 신앙생활을 할 수 있게 도와야겠다고 생각하고 가끔씩 성령집회를 하였습니다.

성령집회를 하면 내 몸은 힘들지만 성도들이 은혜를 받아 힘 있는 신앙생활을 하므로 좋은 것입니다. 그래서 가끔 교육관에서 진행하였는데 성령 하나님이 많이, 크게 역사하여 주셨습니다. 성령집회에 참석한 성도들이 강력한 성령 체험을 하였습니다.

어떤 사람은 입신하여 천국과 지옥을 다녀와서 보고 들은 것을 간증하였습니다.

한 성도는 커다란 둥근 불이 앞에서 자기에게 떨어져 뜨거워서 견딜 수가 없어 "아이쿠, 뜨거워! 아이쿠, 뜨거워!" 하며 이리저리 뒹구는데 꼭 불속에서 구르는 것 같았습니다.

또 다른 사람은 방언이 터졌는데 한국말이 되지 않았습니다. 한국말로 하려 해도 방언만 나오는 것입니다. 이렇게 3일 동안 방언으로만 말하자 하나님을 믿지 않는 그 남편이 아내가 한국말은 못하고 이상한 말만 한다며 잘못된 것 아니냐고 따지러 찾아왔습니다.

하지만 3일이 지나자 방언이 그치고 정상으로 돌아왔습니다. 그 일로 남편이 하나님을 믿게 되었습니다.

방언을 받은 사람이 많았고 그 외에 여러 가지 은사를 받은 사람들이 많았습니다. 또 많은 병자들과 불치의 병이 치료를 받았습니다.

이러한 성령 하나님의 역사하심을 보면서 성도들이 다시 힘을 얻고 즐거운 마음으로 신앙생활을 하였습니다.

순탄한 교회 부흥

술집 골목에서는 매우 힘들게 목회를 하였는데 큰길가로 나와서는 순탄하게 교회가 성장하였습니다.

매년 성도가 많아져서 낮 예배를 4부로 드리게 되면서 교육관을 얻어서 초·중·고생은 다른 장소에서 예배를 드렸습니다. 그리고 교회 사무실과 주일에 식사 할 식당을 각각 얻고 하면서 재미있는 목회를 하게 되었습니다.

건축된 교회 건물이 없어도 즐거웠습니다. 그래서 가난한 성도들과 평생 임대 교회를 해도 되겠다는 생각을 하였습니다.

교회가 순탄하게 부흥하니 육체적으로는 힘들어도 영적으로는 즐거웠습니다.

교회를 건축하자

안수집사들이 작게라도 교회를 건축하자는 의견을 내놓았습니다. 지금처럼 네 군데를 얻어 각각 월세를 주고 사용하는 것보다 은행 돈을 빌려 교회를 짓고 이자를 주는 것이 더 낫지 않겠느냐는 것입니다. 그래서 어떻게 건축을 할 것인지 구상을 해 보고 며칠 후에 다시 의견을 나누기로 하였습니다.

대지 80평에 건물 48평을 건축하는데 4층으로 올리려면 약 5억 원 정도가 필요하다는 결과가 나왔습니다. 3억을 마련하고 2억 정도 헌금하면 되는데 현재 전세 보증금이 1억 2천 가량 있으니 2억의 건축헌금이 필요했습니다.

나는 모두의 의견은 좋지만 그것은 불가능하다고 말하였습니다. 이유는 우리 교인들이 모두 가난하기 때문에 그만큼의 건축헌금을 하지 못한다는 것이었습니다. 그러나 안수집사들은 할 수 있다고 말하였습니다. 그래서 나는 "그럼, 집사님들이 알아서 추진을 해 보십시오."라고 하였습니다.

첫 번째 개척교회를 세움

우리 교회에 4년 몇 개월을 근무한 부목사 한 사람이 있었습니다. 전도사때 우리 교회에 들어와서 강도사가 되고 목사가 된 분입니다.

그분이 이제 교회를 떠나겠다고 하였습니다. 그래도 4년 넘게 있었는데 그냥 내보내기가 마음이 편치 않았습니다. 그래서 제직회에 교회를 개척해 주자는 의견을 내놓았습니다. 우리 교회에서 2,000만 원을 개척 자금으로 마련해 주자는 의견이었는데 제직 중의 한 사람이 발언하였습니다.

"우리 교회도 건물이 없어 2층 교회를 하고 있는데 무슨 교회를 세워줍니까? 그리고 개척을 해 준다 해도 교회에 돈이 없는데 어떻게 교회를 세워주려고 하십니까?"

나는 "개척 자금은 그동안 건축헌금으로 모아놓은 2,000만 원이 있으니 우선 그것으로 하면 되고, 우리가 2층 교회를 하고는 있지만 하나님이 기뻐하시는 교회를 세우는 일을 하면 하나님이 우리 교회에 복을 주실 것입니다. 그리고 아무것도 없는 부목사를 그냥 그만두라고 하는 것은 마음이 불편합니다."라고 답하였습니다.

그러자 결국 다른 제직들이 찬성해 주어 가결이 되었습니다.

정말 그때 우리 교회 재산이 보증금 1억 원과 건축헌금 모아 둔 것 2,000만 원이 전부였습니다. 우리에게는 큰돈이었습니다. 1993년도 그 당시 부목사 한 달 사례비가 100만 원 정도였습니다. 내가 개척할 때 500만 원으로 시작하여 10년 목회를 하는 동안 1억 2,000만 원이 되었으니 2,000만 원은 매우 큰돈이었습니다.

이렇게 해서 우리는 안양에 교회를 하나 세우게 되었습니다.

첫 번째 건축헌금

제직회에서 안수집사 한 분이 교회 건축의 필요성을 설명하고, 한 주간 기도한 후에 모두 건축헌금을 작정하자고 광고를 하였습니다. 제직들도 찬성하여 총 6천만 원이 작정되었습니다.

그중에 한 청년이 1,000만 원을 작정했는데, 이 청년은 우리 교인 중에서 가장 가난하고 신체적 장애가 있어 사람들로부터 소외 시 당하는 자매였습니다. 그런 자매가 1,000만 원을 작정하였길래 조용히 불러서 물어 보았습니다. 그 자매의 한 달 월급은 50만 원이라고 하였는데 시집 갈 때 사용하려고 모은 돈 1,000만 원이 있다고 하였습니다. 이 자매는 그것을 모두 드리기로 작정했던 것입니다.

이런 이야기가 성도들에게 알려지면서 모두가 부끄러움을 느꼈습니다. '저런 장애가 있는 사람도 건축헌금을 하는데 건강한 우리가 그보다 못해서야 되겠는가.' 하는 마음을 가지게 되었습니다.

두 번째 건축헌금

교회 건축에 5억 원이 필요한데 작정된 6천만 원을 가지고는 할 수가 없어서 남자 집사들을 모두 모이라고 하였습니다. 상황 설명을 하고 "우리 교인 중에서 가장 부족한 장애가 있는 사람이 1,000만 원의 헌금을 작정했는데, 신체도 건강하고 그보다 많은 돈을 버는 우리가 그보다 적게 한다면 하나님께 죄송하지 않겠습니까? 나도 2,000만 원을 대출 받아 헌금할 것이니, 안수집사 2,000만 원, 서리집사 1,000만 원씩 헌금을 하려거든 건축을 하고 아니면 건축 얘기는 없던 것으로 하십시다."라고 말하였습니다.

그러자 모두가 그렇게 하겠다고 하여 다시 그 자리에서 헌금 작정을 하여 2억 원 이상이 나오게 되었습니다. 그래서 교회 건축이 시작되었습니다.

교회 건축 장소를 결정

우리가 생각했던 교회 장소는 광명4동 동사무소 앞쪽의 땅이었습니다. 8m 도로에 광명7동으로 가는 길가에 위치하고 사람이 많이 왕래하는 곳입니다. 그래서 그곳에 교회를 건축하는 것이 제일 좋을 것 같았습니다.

다행히 오래 된 집이 몇 채 있어서 복덕방을 통해 집주인에게 매도할 것을 여러 번 말해 보았지만 거절당하고 말았습니다. 우리는 계속 교회 장소를 달라고 기도하였습니다. 몇 달이 지나도 소식이 없다가 한진 아파트 뒤쪽에 78평이 나왔다는 복덕방의 연락이 왔습니다. 그리고 그곳을 본 후 회의를 하여 사기로 결정하였습니다.

우리가 원하던 지역이 아닌 방향이 다른 지역이었습니다. 하나님은 우리 생각과 다른 것을 항상 보게 됩니다.

건축업자 선정

정확하게 78평이었습니다. 땅을 구입하고 이제 교회를 짓기 위해서 건축업자를 선정해야 했습니다. 그런데 교회 집사 중 한 사람이 건축업을 하고 있었는데 자꾸 자기에게 공사를 맡겨달라고 하였습니다. 자기가 책임지고 교회를 건축하겠다는 것입니다.

건축위원회는 평소 그 사람의 삶이 믿음직하지 못해서 주고 싶지 않은데 부부가 합세하여 "나를 믿지 못해서 그러느냐, 아무려면 내가 다니는 교회를 책임 있게 짓지 않겠느냐!" 는 등 말이 많았습니다. 맡겨주지 않으면 시험 들어 교회를 떠날 것 같이 말하는 것입니다. 그래서 할 수 없이 1차로 현재 있는 집 철거하는 일을 잘 해 주시면 그 다음 건축 문제는 생각해 보겠다고 말하였습니다.

그렇게 철거를 맡아 하는 도중, 포크레인 기사가 그만 옆집 벽을 뜯어버리는 일이 생기고 말았습니다.

그 집사가 철거 감독을 하고 있었는데 잠깐 자리를 비운 사이, 포크레인 기사가 철거할 집 벽을 뜯으면서 같이 붙어 있던 옆집 벽이 떨어져 나왔던 것입니다.

즉시 공사는 중단되었고 옆집과의 협상을 하게 되었는데, 벽이 떨어져 나간 집의 할아버지가 터무니없는 변상을 요구하였습니다. 집을 헐고 새로 지어달라고 하는 것입니다. 말도 안 되는 요구에 며칠 동안 협상을 시도하다가 철거를 맡은 집사와 그 할아버지가 온갖 욕을 하며 크게 싸워버렸습니다.

협상은 무산되고 공사는 중단되고 포크레인 기사는 도망가 버리고 말았습니다. 철거를 맡은 집사도 아무것도 할 수 없는 상태로 몇 달이 지나갔습니다.

결국 이렇게 놔두면 아무것도 할 수가 없어 교회가 나서서 협상을 하였고, 그 당시 돈으로 1,500만 원을 변상하기로 합의를 보았습니다. 뜯어진 벽만 다시 쌓아준다면 100만 원이면 될 것을 1,500만 원이나 물어준 것입니다.

이렇게 했는데도 철거를 맡았던 그 집사는 자기에게 다음 공사를 맡기지 않았다고 교회를 떠났습니다. 엄밀히 말하자면 그 변상비는 그 집사가 물어야 했던 것이었습니다. 그런데 한 푼도 물지 않았고 오히려 교회를 원망하며 떠났습니다. 교회만 크게 손해를 본 것입니다.

교회를 운영하면서 느끼는 것은 양심이 바르지 못한 사람이 많다는 것입니다.

건축을 놓고 전교인이 기도회

성전을 건축하는 일에 마귀의 방해가 많았습니다. 그래서 우리 교회에서는 매일 새벽과 저녁에 모여서 기도하고, 24시간 릴레이기도를 하고 각 구역마다 기도하였습니다.

그렇게 하나의 문제가 해결되면 또 다른 어려운 일이 생겨 난관에 부딪쳤습니다. 그러면 또 기도하고 이렇게 1년 반을 기도하였습니다.

성전 건축은 그냥 되는 것이 아니라 성도들의 기도와 눈물로 지어지는 것을 느꼈습니다.

계속되는 건축의 어려움

건축업자를 창대건설로 정한 후, 지하층 10m를 파기 위해서 토목공사를 하였습니다.

CPI 공법으로 하고 있는데 물이 많이 나와 모두가 걱정을 하였습니다. 바닥에 물이 많이 있다는 것입니다. 그래서 주변 사람에게 알아보니 이곳이 과거에 연못이 있었던 곳이라고 합니다.

흙을 파냈는데 바닥에 물이 많이 있으면 공사가 매우 어렵고 또 비용도 많이 든다고 합니다. 우리는 '큰일 났다!' 싶어서 또 전교인이 매일 힘써 기도하기 시작하였습니다.

그러던 중 꿈을 꾸었는데, 어떤 분이 나타나서 물길을 우리 교회 터에서 꺾어 다른 방향으로 돌리는 것을 보았습니다. 꿈을 꾸고 나서 나는 "하나님! 꿈대로 되게 하여 주십시오. 교회터 바닥에서 물이 나오지 않게 하여 주십시오."라고 기도하였습니다.

드디어 땅을 10m까지 파고 모두 걷어내었습니다. 그런데 놀라운 일이 일어났습니다. 물이 하나도 없는 것입니다. CPI 공법으로 흙을 올릴 때만 해도 6~10m 사이에서 물이 많이 나왔는데, 10m 바닥에 물이 하나도 없는 것입니다. 이것은 하나님이 베푸신 기적이었습니다.

동네 주민의 민원

토목공사로 힘들어 성도들이 기도하고 있을 때, 동네 사람들이 모여 시청에 민원을 넣었습니다. 첫째는 소음이 많고, 두 번째는 자신들의 집 마당이 갈라진다는 이유였습니다. 그래서 시청에서 조사를 나오고, 여러 가지 잡음이 생겨 시끄러웠습니다.

결국은 네 집에서 변상을 요구하여 합의하였고, 각각 몇 백만 원씩을 변상해 주었습니다.

그리고 교회 바로 옆집은 교회에서 구입해 달라고 하여 즉시로 구입을 하였고, 또 뒷집도 구매해 달라고 하여 추가로 구매하였습니다. 이렇게 하나하나 민원을 해결해 가면서 건축을 하였고 이런 일들이 진행되기까지도 몇 달이 걸렸습니다.

그럴 때마다 건축비용은 추가되었습니다. 땅을 억지로 구입하게 되고 합의를 하다 보니 몇 억 원이 추가되었습니다. 처음 건축을 할 때는 대지 78평을 생각했는데 옆집 30평을 구입하고 또 뒷집 30평을 구입하여 총 138평이 되었고, 네 세대에 합의금을 주는 과정에서도 공사가 늦어져서 공사기간이 더 길어졌으니 총 공사비가 더 늘어나게 된 것입니다.

주택지역이 교회를 하기에는 좋으나 건물을 지을 때는 어렵다는 것을 몸으로 체험한 것입니다.

그러나 이렇게 힘든 과정 속에서도 교회 건물은 높이 올라갔습니다.

본당 인테리어

이제 본당 인테리어를 하는데 추가로 1억이 들어가는 공사였습니다. 벽은 호주에서 수입한 벽돌로 하고 문은 비싼 원목으로 하고 유리와

천지창조를 표현할 본당 벽은 스테인리스 글라스로 하였습니다. 천정은 나무에 니스 칠 한 것으로 하는데 성도들이 직접 니스 칠을 하느라 고생이 많았습니다.

원래 계약은 본당을 빨간 벽돌로 쌓아서 인테리어를 하고 강대상과 강단 뒤까지 꾸며주기로 했었는데 건축위원장이 이렇게 하는 것이 더 아름답다고 바꾼 것입니다.

아름답게 꾸미는 것은 좋으나 항상 돈이 부족하니 그것이 걱정이 되었습니다.

본당 인테리어 설계사

우리 교회에 k여집사가 있었습니다. 그분은 열심히 신앙생활을 하였지만 사는 것을 힘들어 하였습니다. 그래서 상담을 받는데 남편과 신앙이 맞지 않아서 힘들다고 말하였습니다. 남편은 성당에 다니는데 매일 술을 먹고 들어와 클래식 음악을 듣는다고 합니다.

그 집에 심방을 해 보니 남편이 오디오와 클래식 마니아였습니다. 비싼 오디오 기계와 수많은 LP판이 있었습니다. 이 남편이 건축 인테리어 설계를 하는 분이었는데 자기가 OOO 대통령 사저 인테리어 설계를 했고, 또 다른 OOO 대통령 사저도 인테리어 설계를 했다고 말하였습니다. 그 말은 즉 돈은 못 벌어도 설계사로 인정을 받는 사람이라는 것입니다.

그런데 집에 들어오면 k여집사가 매일 돈 얘기만 하고 자기를 무시하니 대화하기가 싫다는 겁니다. 그래서 술로 달래고 음악으로 마음을 달래며 산다는 것입니다.

하지만 k여집사 이야기는 또 달랐습니다.

"돈을 벌면 집에 갖다 주어야 하지 않느냐. 밖에서 잘 나가면 그만큼

수입도 있어야 하는 거고 수입이 있으면 집에 갖다 줘야지, 친구들하고 술 먹어 버리면 어쩌라는 것이냐. 결혼해서 지금까지 내가 번 돈으로 먹고 살지 않았느냐. 결혼한 지 15년이 되었는데 자녀 교육 문제도 그렇고 집과 생활에 보탬이 되 달라고 하는데 아무런 반응이 없지 않느냐."

k여집사는 오래 전부터 이혼하기로 결심했었는데 더 이상은 참을 수 없다고 하며 이혼 서류를 항상 가방에 넣어가지고 다닌다고 하였습니다. 그리고는 펑펑 우는 것이었습니다.

나는 그래도 조금만 더 참고 기도하라고 위로하고 교회로 돌아왔습니다. 참으로 난감하였습니다. 어떻게 이 가정을 정상으로 만들 수 있을까 걱정하며 기도하였습니다.

그리고 다음 심방 때 이고그램 검사지를 가지고 가 두 사람에게 작성하게 하였습니다. 두 사람의 내적인 마음과 성품을 알아야 했습니다. 검사 결과를 보니 두 사람 다 마음과 성품이 선하였습니다. '그렇다면 두 사람이 은혜를 받으면 좋아지겠구나!' 하는 생각이 들었습니다. 그래서 두 사람에게 "이혼하기 전에 내가 하라는 대로 해 보고 그래도 안 되면 이혼하십시오."라고 부탁하였습니다.

그렇게 해서 두 사람을 2박 3일간 가정세미나에 보내게 되었습니다. 그 결과는 성공적이었습니다. 세미나에 다녀온 후 두 사람은 180도로 달라졌습니다. 남편은 천주교에서 개신교로 개종하여 우리 교회에 등록을 하고 나서 이렇게 간증하였습니다.

"모두 내가 잘못해서 그렇게 된 것입니다. 요즘은 식당에 붙어있는 술 광고 포스터만 봐도 속이 메스껍습니다. 그리고 술 생각이 전혀 나지 않습니다."

두 사람은 사이좋은 부부가 되었습니다. 그렇게 교회생활에서 은혜받고 신앙생활도 잘 하고 있었는데, 3년 전에 미국 이민 신청한 것이 허가가 나와서 이민을 가게 되었습니다. 남편은 못내 아쉬워하며 이민 가기 전에 우리 교회의 내부 인테리어 설계를 무료로 헌신하고 싶다고 하여 설계를 하게 되었습니다.

개척 후 네 번째 장소인 광명성전의 내부 인테리어가 천주교 스타일이 된 것이 이런 이유에서입니다.

[간증] - 이창교 목자

몇 년 전 교구에서 축사를 했는데, 기도와 찬송하며 귀신을 내쫓는 과정을 통하여 하나님의 살아계심을 영적 체험한 것입니다.

축사 과정에서 어떤 교인이 구경꾼이 되어 귀신을 내쫓는 과정을 보면서도 심리학적, 의학적으로 해석하며 믿지 않는 것을 보았을 때, 오병이어교회를 통하여 영적 세계를 보여주며 모든 것을 믿게 해 준 하나님의 은혜에 감사했습니다.

개인적으로 아는 타 교회 목사님이 축사에 대하여 비판하며 폄하하는 발언을 하였을 때, 오히려 오병이어 교회에서 신앙생활하게 하여 주신 하나님께 감사했습니다.

목사님 말씀 중에 "인간은 죽을 때까지 고난의 연속이다."라는 말씀이 나무 하나만 보다가 숲 전체를 볼 수 있는 시야를 넓혀 준 것 같아 좋았습니다.

"기도하라. 문제가 해결될 때까지 기도하라." 하시는 목사님의 평소지론과 먼저 모범이 되어 행하신 것과, 계셔야 할 곳 그 자리에 항상 계신, 그래서 더욱 존경스런 담임목사님이 있어서 좋습니다.

[제5장] 네 번째 장소_ 광명성전 건축과 증축

"많은 영혼이 구원받는 것으로 기뻐하라"

1995년 8월 31일 광명성전 입당 감사예배

교회를 설립한 지 12년 만에 드디어 교회를 건축하고 입당하게 되었습니다. 작은 건물이었지만 나에게는 어느 것보다 큰 건물이었고 꿈같은 입당 감사예배를 드리게 되었습니다.

건물은 지하 1층, 지상 4층으로 지어졌고 전체 건평은 350평이었습니다. 5억을 들여서 공사하기로 시작했는데 끝나고 보니 12억 원이 들었습니다. 전 교회 장소의 전세보증금 1억 원에 은행 부채가 6억 원이고, 성도 부채가 1억 5천만 원 정도 되었습니다. 건축헌금은 1~4차까지 합산하여 3억 5천만 원 정도 들어온 것입니다.

입당 감사예배를 드릴 때 건축 보고를 하는데 나도 울고 성도들도 울었습니다. 수많은 어려움들을 이기고 건축하여 입당을 하게 되자 모두들 감격하여 눈물이 난 것입니다.

건축을 하면서 한 명의 여집사가 건축헌금 하는 것이 부담되어 교회를 떠났지만 나머지 99.9% 성도들은 힘을 모아 헌신하여 건축에 참여하였습니다.

장로 임직, 안수집사 임직, 권사 취임 감사예배

입당 감사예배를 드리면서 중진 임직식도 같이 하였습니다. 우리 교회에 처음으로 장로가 세워지고 당회가 구성되었습니다. 안수집사와 권사들도 더 세워지니 교회가 든든하게 느껴졌습니다.

교회는 기둥들이 잘 세워져야 합니다. 중진은 교회의 기둥들인 것입니다.

세 번 주일을 어긴 죄로 전교인 3일 금식

입당한 후의 일입니다. 매일 교회 강대상 뒤에서 철야 기도하며 새벽예배를 드리고 또 한 시간 더 기도한 후에 집으로 갔습니다. 그리고 더 열심히 교회를 부흥시키려고 여러 가지 방법을 동원하여 전도하고 양육하였습니다.

하지만 교회는 재정에 매우 어려움을 겪었습니다. 5억을 들여서 건축한다고 했다가 뜻하지 않았던 사고로 인해 땅을 사고, 또 갖가지 민원을 해결하는 과정 속에서 공사기간이 길어지고 건축비가 더 지출되면서 자연히 은행 이자가 늘어났습니다. 교회 운영이 비상 경영이었습니다.

그래서 하나님께 하루빨리 부채를 갚게 해 주시고 교회를 부흥시켜 달라고 기도하는데 하루는 아내가 말하였습니다. 하나님께서 우리가 교회를 건축할 때 세 번 주일을 어겼기 때문에 부채 상환과 부흥이 늦어질 거라고 하셨다는 것입니다. 그래서 둘이 손을 잡고 다시 기도하였는데 똑같은 응답이었습니다.

토목공사를 할 때 땅은 깊이 파져 있고 옆에 있는 집들은 마당이 갈라진다며 주민들이 민원을 집어넣고 하여, 하루라도 빨리 지하층을 덮어야 한다는 생각에 주일에도 일을 하였던 것입니다. 하지만 이것이 주일을 어기는 죄가 되었습니다. 십계명을 어긴 것입니다.

이 사실을 당회에 이야기하였고, 전교인에게 3일 금식하며 회개 기도하자고 말하였습니다. 그랬더니 당회원들도 동의하여 주보에 광고하고, 전교인이 주일을 어긴 죄를 회개하고 용서해 달라고 3일 동안 금식하며 회개기도를 하였습니다. 그렇게 하였더니 하나님이 용서하신다는 응답을 주셨습니다.

이 사건은 전교인이 주일을 더욱 철저히 지키게 하는 교훈이 되었습니다. 그리고 앞으로 우리 교회는 어떠한 일이 있어도 주일날 일을 하지 않을 것을 결심하게 되었습니다.

그 후에 하나님은 3년이 되면 빚을 갚게 될 것이라고 응답하셨습니다. 정말 3년 후에 부채를 전부 갚았고, 교회는 부흥하여 본당이 가득 채워져서 주일 낮 예배를 2부로 드리게 되었습니다. 모두 하나님이 하신 일입니다. 하나님께 영광을 돌립니다.

부흥하여 증축하게 됨

헌당예배를 드린 후 2년이 되었습니다. 교회는 계속 부흥하여 이제는 낮 예배를 4부로 드렸습니다. 그렇게 했는데도 3부 예배 때는 보조의자를 놓아야 할 정도로 성도들이 가득했습니다. 그래서 교회를 증축하기로 하였습니다.

지하를 파서 연결하고 지상도 뒷부분을 4층까지 연결하고 전체적으로 5층까지 올려서 지으면 건평 300여 평이 더 넓어져서 사용하기가 좋겠다고 결정하였습니다. 예상되는 건축비는 6억 원이었습니다.

제직회에서 증축하기로 결정하고 한 주간 기도한 후에 건축헌금을 작정하였습니다. 그런데 작정 헌금액이 얼마 되지 않았습니다.

그래서 또 은행에 가서 교회를 담보로 3억 5천만 원을 대출받았습니다. 부족한 금액은 교회 재정에서 나오는 것과 그동안 모아 놓았던 것으로 사용하기로 하였습니다.

교회를 좀 더 큰 장소로 이전할 때도 건축을 할 때도 느끼는 것이지만 작정되는 건축헌금이 매우 적었습니다. '이 동네는 너무 가난한 사람들이 살아서 그런가보다.' 생각하고 이해도 하지만 믿음이 없다는 생각도 합니다. 참으로 하나님께 헌신한 사람이 없었습니다. 그렇다면 큰 부자도 나오지 않겠지요. 그저 그만 그만한 생활을 합니다.

그래도 이 모양 저 모양으로 헌신한 사람들은 복을 받아 사는 것을 느낍니다.

가난한 동네

나는 가난한 봉천동에서 10년을 살았습니다. 우리 집이 망해서 이재민들이 사는 봉천동에 들어가 사는 동안 잊지 못할 많은 고생을 하였습니다. 평생을 살면서 겪을 고생을 전부 한 것 같습니다.

그 봉천동을 벗어나고 싶은 마음에 나는 몸부림을 쳤습니다. 정말 그 가난한 마을을 벗어나고 싶었습니다. 그래서 광명시에 왔을 때는 좀 달라진 생활을 하고 싶었습니다. 하지만 이곳도 봉천동 못지않게 가난한 동네였습니다.

교인들 중에서도 아파트에 살면 부자고 연립 살면 중산층입니다. 서민이 전세 사는 것이고 영세민은 월세 사는 것입니다. 부자가 없었습니다. 생활이 어려운 사람들이니 헌금을 드린다 해도 그 액수가 적었습니다.

참으로 목회하기가 어려운 동네입니다. 어떤 일을 추진하려 해도 자금이 없으니 쉽지 않습니다. 하지만 그런 마음을 내려놓고 일을 하니 견딜 수 있었습니다.

하나님께서 나를 가난한 동네로 보낸 뜻이 있으시겠지 생각했는데, 여기서 많은 것을 깨닫게 하시고 신앙을 성장시켜 '십자가의 길 양육시스템'을 개발하게 하신 것입니다.

나의 목회가 부유한 동네에서 평탄하였다면 기도를 간절하게 하지도 않았을 것이고, 그러면 하나님의 말씀을 깊게 깨닫지도 못했을 것입니다. 그래서 하나님은 나를 십자가로 인도하셔서 광명시 가난한 동네로 보내시고 수많은 경험들을 하게 하시고 깨닫게 하셨습니다. 이 모든 것이 하나님의 섭리였습니다.

계속되는 교회 부흥과 함께 바뀐 분위기

교회를 증축하고 2년 만에 본당이 가득 찼습니다. 그래서 또 4부 예배를 드렸는데 그 후부터 교회가 성장을 멈추었습니다. 성도들이 하는 말이 전도를 해서 데리고 와도 예배 시간에 앉을 자리가 없다고 합니다. 게다가 사람이 너무 많아서 앉아 있어도 비좁고 불편하다고 하며 왔던 사람들이 "다음에는 못 오겠습니다." 한다는 것입니다. 또 예배 시간에 늦게 온 사람들이 자리가 없어 뒤에 서 있다가 그냥 가버리기도 하였습니다.

이런 일과 함께 기존 구역장들도 교회가 부흥했으니 내년부터는 좀 쉬게 해 달라고 말하고 성도들도 이제 전도하지 않아도 되겠다고 말하는 것입니다. 교회가 부흥하면서 앉을 자리조차 없게 되자 이제 쉬자는 분위기로 바뀌고 있었습니다.

그러면서 교회 성장이 멈추고 제자리걸음을 걸었습니다. 그렇게 5년의 시간이 흘러갔습니다.

몸 건강에 이상 현상

장기적인 정체 속에 있으니 목회자인 나는 답답하였습니다. 내가 무능해서 이렇게 되었다는 생각이 들었습니다. 재정적으로는 빚도 갚았고 안정적이었지만 나는 마음이 답답하였습니다. 그러면서 여러 가지 일들로 항상 피곤하였는데 그러던 어느 날부터 손이 떨리기 시작하였습니다.

몇 달 동안 계속되는 손 떨림과 어지러움으로 인해 병원도 다녀보고 한약도 먹어보았습니다. 그런데도 계속 같은 증상이 나타났습니다. 병원에서는 몸이 만성피로로 지쳐있다고 쉬라고 하였습니다. 일을 줄이고 쉬는 것이 빨리 완쾌되는 방법이라고 하였습니다.

그때 우리 교회는 30여 개의 성경공부반과 제자훈련을 하고 있었습니다. 주일날 시간이 있는 사람들을 위해서 몇 개 반을 운영했고, 평일은 월요일부터 토요일까지 주・야간반으로 나누어 나와 부목사와 장로들까지 강사로 수고하였습니다.

그러다보니 낮과 밤에도 쉬는 시간이 별로 없었고 피로가 누적되고 있었던 것입니다. 게다가 이렇게 열심히 하는데도 교회가 제자리걸음을 하고 있으니 마음에 더 부담이 되어 몸에 이상이 온 것입니다. 조금만 더 방치하였으면 중풍을 맞았을 거라고 하는 분도 있었습니다.

이것을 보고 있던 당회원들이 조금이라도 쉬어야 한다고 말했습니다. 그래서 3개월간 휴가를 받아 영흥도의 한 펜션을 빌려 쉬러 들어갔습니다. 이것이 내가 목회하면서 처음으로 얻은 안식월이었습니다.

개척한 후 15년 동안 앞만 보고 달리다보니 일중독에 걸렸습니다. 일을 하지 않으면 마음이 불안하고 안정이 되지 않았습니다. 명절 때도 삼일이 쉬는 날이면 이틀은 교회에 나와서 무엇인가 하고 들어가야 마음이 편했습니다.

이런 상태였기 때문에 처음 영흥도에서 쉬는 며칠 동안은 마음이 불안하여 힘들었습니다. 하지만 건강을 회복하기 위해서 시간표를 작성하고 그대로 움직이기 시작했습니다.

아침 5시에 일어나 기도를 하고 6시에 등산을 하고, 8시에 아침식사를 하고 9시에 바닷가 산책을 하고, 10시에 책을 읽고 12시에 점심식사를 하는 등 시간표대로 움직였습니다.

그렇게 꾸준히 했더니 건강이 좋아지기 시작하였습니다.

안식월 중에 발견한 일

영흥도에서 휴식을 취하면서도 주일날은 교회 와서 설교를 하였습니다. 이렇게 주일에라도 교회 와서 성도들과 교제를 가지니 훨씬 기분이 좋았습니다.

그때 서점에 들려 20여 권의 책을 사지고 들어갔는데, 그중에는 셀에 관한 책도 있었습니다. 휴식을 취하면서 여러 가지 책을 읽다가 셀에 관한 책을 읽고 많은 도전을 받았습니다. 지금까지 내가 하지 못했던 좋은 목회 방법이 있었습니다.

지금까지 중구난방으로 제자훈련을 시켰는데 셀 교회 이론은 체계적으로 잘 구성되어 있었습니다. 그래서 미국과 캄보디아에서 성공하여 아시아와 아프리카에까지 이미 10여 년 전부터 전파되고 있었다는 것을 알았습니다. 그런데 그때서야 그 책을 읽은 것입니다.

나는 강력한 도전을 받고 셀 교회를 해 봐야겠다는 마음을 가졌습니다. 이것이 영흥도에 있으면서 얻은 큰 수확입니다.

셀 교회 세미나에 참석

영흥도에서 쉬는 기간을 마치고 나와 셀 교육기관에 전화를 하였습니다. N셀 세미나였습니다. 그곳의 교육 기간은 2년인데 이미 1기를 시작한 지 1년이 되었기 때문에 중간에 받아 줄 수가 없다고 하였습니다.

그래서 다른 셀 교육기관을 찾아보았는데 OOOO학교에서 셀 교육을 하고 있었습니다. 바로 그 세미나에 등록을 하고 3일 동안 상당한 금액을 지불하고 참석하였습니다. 3일을 들어보았는데 강의 내용이 부실하였습니다. 핵심이 무엇인지 모르겠고 체계적으로 설명을 하지 않으면서 이 사람이 조금, 저 사람이 조금 이런 식으로 교육을 하였습니다.

그리고는 그 기관에서 나온 책을 사다가 교육시키면 된다고 하였습니다.

별로 신뢰가 가지 않았습니다. 세미나 시간표를 만들어 놓고도 전혀 시간을 지키지 않았습니다. 완전히 주최 측 마음대로 하였습니다. 한 시간 늦게 끝나기도 하고 한 시간 늦게 시작하기도 하고 또 강의는 하지 않고 찬송만 1시간을 부르기도 하고, 전혀 시간 개념이 없었습니다. 그러면서 셀 자랑만 하였습니다.

나는 마음에 들진 않았지만 책을 모두 구입하였습니다. 그 당시 세미나 비용이 15만 원이었는데 책값으로 25만 원이 들었습니다. 집에 와서 읽어 보니 전혀 내용이 마음에 들지 않았습니다. 초보적인데도 말이 이해하기 어렵고, 왔다 갔다 하고 주제도 정확하지 않아 도저히 이 내용으로는 성도들을 교육 시킬 수가 없었습니다. 이렇게 하면 절대로 안 되겠다는 생각을 하였습니다.

내가 16년을 성경공부와 제자훈련 시킬 때 시중에 나온 성경공부 교재와 제자훈련 교재는 모두 구입하여 교육 해 보았습니다. 그래서 웬만한 책은 읽어만 보아도 될지 안 될지를 알 수 있었습니다.

그런데 이 책을 집필한 사람은 목회를 해 보지 않은 사람입니다. 이론으로 공부만 했지 현장 경험이 없는 사람이 쓴 책이라 더욱 안 될 수밖에 없는 내용이었습니다.

그래서 다른 셀 교육기관에서 하는 세미나에 참석하기 위해 1년을 기다렸다가 3박 4일 동안 25만 원씩을 지불하고 4번을 교육받았습니다. 그리고 여러 가지 추가되는 세미나도 듣고 모든 책을 구입하였습니다.

그곳은 첫 세미나를 들을 때부터 내용도 좋았고, 강의에 빨려 들어갔습니다. '맞다! 내가 바라던 것이 이거다!' 하는 마음이 생겼습니다. 그래서 열심히 공부하였습니다. 모두 마치고 나니 머리가 트이고 마음이 열정으로 가득 찼습니다.

배우는 기간은 일 년이 걸렸고 그곳에서 추천하는 미국대학교 셀 전공을 신청하여 들었습니다. 셀 교회를 배우기 위해서 투자한 돈이 대학원까지 합하면 수천만 원이었습니다.

셀 교회 실패

셀 세미나에서 배운 대로 그곳에서 발행하는 교재를 구입하여 첫 권부터 시작하였습니다. 1년 동안 열심히 했는데 성과는 없이 모두가 지쳐버렸습니다. 그래서 원인이 무엇인가를 찾기 시작했습니다.

모든 목자들이 하는 말이 책 내용이 무슨 뜻인지 모르겠다는 것이었습니다. 셀의 이론은 좋은데 책 내용이 무엇을 말하는지 모르겠어서 이해하기 어려우니 은혜도 안 되고 영성도 없고 주제도 불분명하여 가르치기도 어렵다는 것이었습니다.

내 자신이 성도들을 교육하면서도 뜻을 이해할 수 없는 것이 많았고 또 말이 안 되는 부분도 많았습니다. 마음에 감동도 오지 않고 은혜가 없었습니다. 그 교재들을 엄밀하게 분석해 보니 외국 것을 목회의 경험도 있고 성경공부를 많이 시켜 본 사람이 번역을 해야 하는데, 이것은 목회 경험도 없는 사모님이 하였다는 말을 듣게 되었습니다. 그래서 이 책으로는 안 된다는 결론을 내렸습니다. 후에 들어보니 N교재로 시도한 교회들은 모두 실패로 끝났다는 것입니다.

실패 후 계속된 도전

그 후 새로운 방법을 찾다가 부산에서 하는 셀 세미나가 좋다고 하여 그곳에서 출간된 모든 책을 구입하여 검토하였습니다. 읽어보고 좋으면 가서 다시 배우고 시작하려 했습니다. 그곳은 나와 같은 N세미나에 참석하신 분이 교회에 적용을 했는데 잘 안 되어서, 자신이 새롭게 교재를 발간하여 사용하는데 좋다는 평이 났습니다.

그 교재를 검토해 보니 16년간 여러 성경공부 교재를 짜깁기 한 것이었습니다. 내용은 모두 조직신학 범위에서 나왔으며 신론, 구원론, 교회론, 종말론 등이 귀납적 성경공부로 만들어져 있었습니다. 거기에 전도에 대한 것을 추가한 것입니다. 그러한 내용은 이미 우리 교회에서 과거에 교육했던 것이기 때문에 성도들이 은혜는 받으나, 성도가 성도를 제자로 양육하지 못했으며 시간이 지나면서 모두 지쳐버렸던 방식입니다.

성부 하나님, 성자 하나님이신 그리스도론, 성령 하나님, 믿음, 구원, 교회, 종말, 성화, 구원의 확신, 전도, 제자양육 등은 한 번 배우고 이해하고 믿으면 됩니다. 여러 번 반복해서 배울 것이 없고 딱딱한 교육을 가르치는 사람도 재미없고 은혜가 되지 않습니다. 교육을 하기 위해 낮과 저녁까지 시간을 사용하다보면 목회자도 지치고 성도도 지쳐버리는 것입니다.

검토 결과 이 교재로도 안 된다는 결론을 내렸습니다.

셀 교회 세계대회 참석

'셀을 그만두고 다시 구역제도로 돌아가야 하는가?' 결정해야 하는 기로에 서 있었습니다. 사실 많은 목자들이 구역제도가 더 좋다고 하면서 다시 구역으로 돌아가자고 하였습니다. 그러면서 어떤 성도들은 아예 셀을 하지 않았습니다.

나는 이런 갈등 속에서 셀 이론이 외국에서는 모두 성공하여 그 발표를 하고 있는데 왜 한국만 안 되는 것인지 이상하다고 생각했습니다.

'원인이 무엇일까? 왜 안 될까? 되게 하는 방법은 없을까?'

기도하면서 고민하게 되었습니다.

그때 세계 셀 사역자 대회가 열렸습니다. 그 대회에 참석하여 현존하는 세계 셀 사역자들의 생생한 간증을 들었습니다. 그곳에는 종파가 없었습니다. 감리교, 장로교, 침례교, 성결교, 루터교, 순복음 등 어떤 종파가 우월하다는 내용이 없었고 모든 교회가 종파를 뛰어넘어 셀 교회를 성공적으로 하고 있었습니다. 그리고 천국에 종파가 없는 것처럼 마지막 시대에는 예수 그리스도를 믿는 사람들은 종파에 관계없이 셀 교회를 해야 한다는 것을 느꼈습니다.

북아메리카, 남아메리카, 유럽, 아시아, 오세아니아, 아프리카에서 셀 교회들은 큰 성장을 하면서 많은 영혼들을 구원하여 교회를 세워 나갔습니다. 그런데 한국만 셀 사역이 안 되고 있었습니다. 한국만 셀 사역으로 성공한 사례 발표가 없었습니다.

그 대회를 은혜롭게 경청하고 집으로 돌아오면서 많은 생각을 하였습니다. '마지막 시대에 살아남는 교회는 셀 교회 밖에 없다. 그래서 하나님은 이미 세계적으로 셀 교회를 준비하셨구나!' 하는 느낌을 받았습니다.

셀 교회 지도자들은 자기의 모든 것을 내려놓고 오직 복음 전파와 영혼 구원과 하나님의 뜻을 이루어 드리는 일에만 전념하고 있었습니다.

기존 교회의 지도자들에게서 단점으로 보였던 명예와 자랑, 물질 과 세상에 대한 욕심 등은 없어지고 복음 전파에만 전념하는 모습이었습니다. 그리고 초대교회 지도자들처럼 교회를 이끌어가는 순수한 모습이 보였습니다.

셀 교회는 마지막 시대를 준비하는 하나님의 계획

요한계시록을 보면, 7년 대환란에 들어가면 교회가 핍박을 받는데 기존 교회들이 흩어져서 지하 교회 모임만 가지게 됩니다. 그때 소그룹으로 모여 지도하는 사역자들이 책임을 지고 성도들을 인도해야 합니다. 하나님은 이런 소그룹 사역자들을 이미 만들고 계셨습니다.

이렇게 하나님이 준비하시는 셀을 어떻게든 성공시켜서 성도들에게 가르쳐야 한다는 생각이 절실해졌습니다. 우리 교회도 셀 교회로 전환하기까지 시간이 걸리고 어려움이 있겠지만 마지막 시대를 준비하는 마음으로 꼭 해야 한다는 결심이 세워졌고, 평신도 지도자들이 많이 나와야 마지막 시대에 소그룹에 모인 사람들에게 믿음을 주고 용기를 주면서 이끌어 갈 수 있다고 확신하게 되었습니다.

십자가의 길 종합시스템 탄생

마지막 시대를 준비하는 강력한 셀 교회를 세우기 위학 양육 교재가 필요했는데, 지금까지의 성경공부와 제자훈련 경험을 살려서 기도로 집필해야겠다는 마음으로 시작하였습니다.

새로운 내용이어야 하는데,

첫째는 하나님이 원하시는 말씀이어야 하고
둘째는 믿음이 성장하고
셋째는 변화가 있어야 하고
넷째는 교회가 성장되어야 하고
다섯째는 지속적이어야 하고
여섯째는 성령의 역사를 경험하고
일곱째는 성도가 성도를 가르칠 수 있을 정도로 쉬어야 하고

여덟 번째는 영성이 있어야 하고

아홉째는 재미가 있어야 하고

열 번째는 수십 번을 반복해도 은혜가 있어야 하는 교재를 만드는 것이었습니다.

'과연 이런 교재를 만들 수 있을까?'

19년의 목회기간 동안에 3년의 성령 역사의 경험, 16년간 성경공부와 제자훈련을 한 경험을 토대로, 위의 10가지 목적을 충족할 수 있는 내용을 담을 수 있도록 기도하였습니다.

그렇게 해서 첫 교재인 '인간의 삶'을 집필하여 성도에게 교육을 시켜 보았습니다.

놀랍게도 성도들의 반응이 100%였습니다. 목자들마다 너무 많은 은혜를 받았다고 다음 책을 써 달라고 하는 것입니다. 그래서 다음 단계인 '새로운 삶'을 집필하였습니다. 이 책도 은혜롭고 쉽고 너무 좋다고 하였습니다. 그렇게 계속 '제자의 삶', '축복의 삶'을 집필하고 '기도학교', '예수님이 가르쳐 주신 기도와 능력', '새가족학교', '성경적 전인치유학교', '목자예비학교', '예수전도법'을 출간하게 되었습니다.

이 교재들이 출간 된 이후로 우리 교인들은 은혜를 받고 새 힘을 얻어 하나님께 헌신하고 있으며, 수십 번을 들어도 은혜가 되고 수십 번을 가르쳐도 은혜가 되어 항상 영적으로 행복하다고 말하고 있습니다.

십자가의 길 교재가 나온 지 13년이 지났지만 변함없이 성도들 간에 양육이 이루어지며, 계속해서 평신도 지도자들이 나오고 행복한 신앙생활을 하고 있습니다.

타 교회 성도들의 간증

타 교회에서 20년간 신앙생활 하신 분이 광명시로 이사 와서 우리 교회에 등록을 하였는데, 성경공부를 하시라고 권면하니 "전 교회에서 성경공부 많이 했습니다." 하면서 안 한다고 하였습니다.

그렇게 몇 달을 다니다가 우리 교회는 십자가의 길 과정을 마치지 않으면 아무런 직분도 맡을 수 없다고 하니까 마지못해 새가족학교에 참석하였습니다.

그렇게 몇 번을 듣고 나더니 "내가 교회를 20년을 다녔지만 이렇게 좋은 말씀은 처음 듣는다." 하면서 열심히 12주 과정을 마치는 것입니다. 그분이 하는 말이 "전 교회에서는 왜 이렇게 좋은 말씀을 가르쳐 주지 않았는지 모르겠다."라고 하면서 자기 영이 살아났다고 옛날의 영적 기쁨을 다시 찾았다고 기뻐하였습니다.

그 다음부터 교회의 양육시스템 과정을 모두 배우면서 하나님을 믿는 것이 이렇게 기쁘고 즐겁고 좋은 것인 줄 이제야 알았다고 고백하였습니다. 그러면서 열심히 전도하는 것이었습니다.

모두가 하는 말이 십자가의 길 양육시스템을 공부하면 영이 회복되어 살아나고 신앙생활이 즐거워진다고 것입니다.

출간하는 동안 많은 기도를 시키시는 하나님

하나님은 좋은 생각을 아무 때나 주시지 않았습니다. 셀 교회 문제로 고민하게 되었을 때도 기도할 수밖에 없었습니다. 그래서 매일 밤 11시에 강단에 올라가 기도하기 시작했습니다. 셀 교회를 성공시킬 방법을 달라고 기도하였습니다.

그러던 어느 날부터 머릿속에 생각을 주시기 시작했습니다. 나는 기도하다가 멈추고 열심히 다이어리에 떠오르는 생각들을 기록하여 두었다가 낮에 그 내용을 정리하여 책을 썼습니다.

성령님께서는 성경을 떠오르게 하시면서 깨닫게 하셨습니다. 과거에 많은 주석을 읽으며 설교 준비를 하였는데 그곳에 없는 것들을 깨닫게 해 주셨습니다. 나는 이러한 성령님이 주시는 생각에 감동하여 매일 저녁 철야기도 하는 것이 즐겁고 행복했습니다.

'오늘 저녁에는 무슨 생각을 주실 것인가?' 이렇게 기대하면서 기도하게 되었습니다. 책을 집필하는 동안 '이것은 내가 하는 것이 아니다. 정말 하나님이 하고 계신다.' 라는 생각이 들었습니다.

'나는 이런 생각들을 전혀 할 수 없는 사람이다. 이것은 성령 하나님만이 하실 수 있다.'

다른 책을 보고 짜깁기 한 것도 아닙니다. 기도 속에서 "하나님, 어떻게 하면 성도들을 살리고 은혜 가운데 신앙생활 하게 할 수 있습니까? 어떻게 하나님의 뜻을 이루어 드리고 많은 영혼을 구원할 수 있겠습니까?" 하는 질문을 드리면서 응답을 기다렸습니다. 그때마다 좋은 생각들을 주신 것입니다.

이 글을 읽는 분은 확인하실 수 있습니다. '예수님이 가르쳐 주신 기도와 능력'과 '예수전도법' 이 책을 읽어보십시오. 지금까지 성경을 읽고 느꼈던 것과 다른 영감을 얻을 것입니다.

나는 이 두 책을 기도원에 들어가 5일 만에 탈고하였습니다. 그러니 내 힘으로 한 것이 아니라 성령님이 하신 것이라고 말하는 것입니다. 내가 한 것이 아니기 때문에 십자가의 길 교재를 공부하면 침체된 영혼이 살아납니다. 이것은 공부를 하는 사람들이 모두 100% 느끼는 일입니다.

모든 책을 출간하기까지 하나님은 많은 기도를 시키신 후에 집필하게 영감을 주셨고, 너희의 힘이 아니라 너희는 내가 도구로 사용한다는 신호를 보내시고 나를 겸손하게 하셨습니다.

'십자가의 길'로 명칭하게 된 동기

이제 셀의 명칭을 무엇으로 할까 생각하게 되었습니다. 십자가셀, D7 등 여러 가지 이름을 가지고 고민하면서 기도하였습니다. 그때 새롭게 깨닫게 하신 것이 십자가였습니다.

그때까지 십자가는 하나님이 사람에게 지우신 무거운 짐이라고 생각하였습니다. 많은 사람에게서 그렇게 배웠기 때문입니다. 그래서 힘들게 살아가는 사람에게 '십자가 지고 가는 것이니까 예수님처럼 참으라.' 이렇게 말하곤 하였습니다. 정말로 많은 성도들이 자신의 무거운 짐을 지고 가면서 예수님처럼 십자가 지고 간다고 믿고 잘 참고 있습니다.

그런데 어느 날 강단에서 기도하는데, 십자가는 무거운 짐이 아니라 하나님이 예수님에게 주신 사명이었고, 예수님은 그 사명을 완수하심으로써 많은 사람을 죄 사함 받게 하고 살리셨다는 생각을 주셨습니다. 십자가를 지고 골고다 언덕을 오르신 것은 사람을 살리기 위해 가신 길이었다는 생각이 떠 올랐습니다.

십자가의 길은 사람을 살리는 길이었습니다. 예수님의 십자가는 하나님이 사람을 죄에서 살리기 위해 만드신 것입니다. 하나님은 내게 십자가의 뜻을 새롭게 깨닫게 하여 주셨습니다.

우리는 자신에게 주어진 십자가 즉, 사람을 살리는 길을 가야 합니다. 이것이 사명이고 하나님의 뜻을 이루어 드리는 길이라고 생각되었습니다. 십자가를 진다고 괴로워할 것이 아니라 사람을 살리는 길이라고 믿으면 기쁘고 행복한 길이 됩니다.

이렇게 깨달음을 얻고 집에 왔는데 아내가 "목사님, 제가 기도했는데 예수님이 말씀하시길 '십자가의 길'로 이름을 붙이래요." 하는 것입니다.

나는 깜짝 놀랐습니다. 이미 그런 생각을 하고 다이어리에 기록까지 하고 왔는데 같은 응답을 아내에게 하신 것입니다. 그렇게 해서 '십자가의 길'로 우리 교회 셀 명칭을 사용하게 된 것입니다.

십자가의 길 목회자 세미나

제1기 세미나는 양수리 수양관에서 70여 명이 모였습니다. 많은 사람들이 은혜를 받고 다른 사람들을 모시고 왔습니다.

제2기는 오산 성은동산에서 100여 명

제3기도 성은동산에서 150여 명

제4기도 성은동산에서 200여 명이 모였습니다.

한 기수가 매월 3일씩 5번을 교육 받기 때문에 5개월이 걸립니다. 그래서 1년에 두 기수씩 진행하였습니다. 시간이 갈수록 소문이 나서 많은 사람들이 모였습니다.

제10기 때는 400여 명이 모여 은혜롭게 마쳤습니다.

세미나에 오신 목사님들이 많은 감동을 받았다고 간증하였습니다. 이런 감동은 처음이라며 많은 목회자들의 간증이 쏟아져 나왔습니다.

어떤 연세 많은 목사님은 침례교 부흥사로 목사님들을 교육하는 분이라고 하였는데 지금까지 이렇게 감동을 받아 본적이 없다고 말씀하였습니다. 그래서 5번 모두 참석하여 앞자리에 앉아서 공부하셨습니다. 그리고 이 교재로 부흥회를 다니면서 영을 살리는 일을 하고 싶은데 사용해도 되겠느냐고 하셔서 그렇게 하시라고 하였습니다.

어떤 목사님은 큰 교회를 시무하고 있었습니다. 개척하여 오랫동안 시무하다가 지쳐 있었는데, 십자가의 길 세미나 소식을 듣고 오게 되었다고 합니다. 정말 본인 스스로가 새 힘을 얻게 되고 영혼이 살아나서 이것을 교회에 적용하여 교인들에게도 힘을 넣어 주어야겠다고 간증하였습니다.

어떤 목사님은 다른 목회자 세미나에 갔다가 새벽기도를 없애라고 하여 정말 새벽기도를 없애고 저녁 9시 기도회를 했더니 교인들이 떠나고 교회가 휘청거리게 되었다고 합니다. 그런데 십자가의 길 '기도학교' 단계를 듣고 바로 다시 새벽기도회를 하자고 했더니 "우리 목사님이 이번에는 진짜 세미나에 다녀오셨네!" 하면서 성도들이 기뻐했다고 합니다.

어떤 목사님은 '예수님이 가르쳐 주신 기도와 능력'을 새벽기도회 때 설교하였다고 합니다. 그러자 교인들이 회개하였고 다음 날, 권사님 한 분이 찾아와서 자신은 지금까지 하나님의 이름을 거룩하게 한 일이 없었다며 회개하는 마음으로 1억 원을 헌금하였다고 합니다. 또 여집사 둘이 찾아와서 각각 1천만 원을 헌금하고, 남자 집사 한 사람은 교회 인테리어를 다시 하고, 또 다른 성도는 중·고등부가 수련회를 가는데 전체 비용을 본인이 부담하는 일들이 나타났다고 간증하였습니다.

또 다른 목사님은 교인들에게 십자가의 길을 가르쳤더니 한 사람이 회개하고 40억을 헌금하여 교회를 건축하게 되었다고 하였습니다.

또 20여 명 정도 나오는 개척교회인데 십자가의 길을 교육했더니 한 분이 은혜 받고 1억을 헌금하여 교회 부채를 갚고 더 넓은 평수로 옮기기까지 하였다는 목사님도 있었습니다.

또 어떤 목사님은 한 집사님이 10억을 헌금하면서 앞으로 재정이 들어가는 일이 생기면 걱정 마시고 말씀만 하시라고 했다고 합니다.

또 다른 목사님은 개척한 지 10년 되었지만 교인이 20명밖에 안 되었었다고 합니다. 십자가의 길을 적용하였더니 성령의 역사와 말씀의 역사가 강력하여 귀신들이 나타나서 전성도가 기도하게 되었고, 이것을 본 사람들이 전도하여 1년 만에 교회가 70여 명으로 부흥하였을 뿐 아니라, 한 성도가 땅을 내놓아 성전을 건축하게 되었다고 하였습니다.

또 다른 목사님은 이제 개척을 했는데 십자가의 길로 시작하였고 1년 만에 50명이 되었다고 하였습니다.

또 다른 목사님은 개척해서 5년 동안 20여 명이 모였다가 십자가의 길을 하고 나서 50여 명으로 부흥되자, 초등학교 교사인 사모님이 "이번 십자가의 길 세미나는 진짜를 배워오셨다." 하면서 권 목사님 양복 한 벌 꼭 해 드리라고 양복 값을 주어서 가져왔다고 하였습니다.

또 다른 목사님은 여러 번 개척을 하였으나 70여 명 정도가 되면 교회가 분열되고 하는 일이 반복되어 지쳐 있었다가 십자가의 길을 배우고 나서 크게 부흥하여 건축도 하고 전국을 다니며 교회 성장 강사를 하고 있습니다.

또 어떤 목사님은 오래 된 교회에 부임하였는데 교회가 성장되지 않았다고 합니다. 십자가의 길을 배우고 적용하였는데 지금은 1,000여 명이 넘는 교회로 성장하고 전국 세미나 강사로 활동하고 있습니다.

또 여러 선교사들이 세미나에서 배운 것을 현지에서 적용하기 위해 그 나라 언어로 번역하여 사용하고 있는데, 큰 은혜가 나타나며 부흥하고 있다고 연락이 오고 있습니다.

많은 목사님들이 목회에 지쳐 있었는데 십자가의 길을 하면서는 지치지 않아서 좋다고 말합니다. 다른 세미나를 듣고 적용하다가 안 되거나 지쳐서 쓰러지기 직전이었는데 십자가의 길을 하면서 살아났다고 합니다.

이런 수많은 간증을 모두 옮길 수는 없습니다. 우리 교회는 한국교회에 큰 유익을 주는 교회로 사용되었고, 이 모든 것이 하나님이 하신 일입니다. 모든 영광을 하나님께 돌릴 뿐입니다.

내가 무엇이기에 하나님께서 이런 은혜를 주셔서 많은 목회자들에게 새 힘을 주고 교회를 살릴 수 있도록 귀한 십자가의 길을 주셨는지 그저 하나님의 은혜가 너무 커서 감사, 감사할 따름입니다.

계속 부흥하여 재건축을 시도함

십자가의 길을 시작한 이후로 제자리걸음을 하던 분위기도 바뀌고, 교회는 계속 부흥되어 더 이상 성도들을 수용할 수 없게 되는 행복한 고민을 하게 되었습니다. 그래서 주변의 땅을 구입하여 성전을 재건축하려고 시도하였습니다.

우선 옆집 30평을 구입하고 또 옆집 40평을 구입하고 또 옆집 40평을 구입하고, 또 옆집 빌라 지하 한 채를 구입하고 또 그 빌라 2층을 구입하고 또 빌라 지하 한 채를 구입하면서 점점 땅을 넓혀갔습니다.

그런데 교회 바로 옆의 방앗간 집을 구입해야 교회를 지을 수 있어서 여러 번 구입하려고 시도했으나, 방앗간 집 아저씨가 터무니없는 가격을 불러서 실패로 끝나고 말았습니다.

그 방앗간 옆집도 구매하려고 여러 번 시도하였으나 그 집은 더 터무니없는 가격을 요구하여 포기하고 기도만 하고 있었습니다.

소하동에 땅을 주시겠다는 응답

하나님은 소하동에 땅을 주겠다는 말씀을 5년 전부터 하셨습니다. 하지만 믿지를 못했습니다. 그때를 기준으로 해서 5년 전에는 소하동에 교회 건축을 할 만한 땅이 없었고, 간혹 나와 있어도 교회 부지로는 적합하지 않았고 또 너무 비싸서 살 수도 없었습니다.

게다가 아파트단지가 없었으므로 교회가 성장하기 어려운 곳이었습니다. 응답을 받기는 했지만 이런 여러 가지 정황들을 보면서 믿음이 적어 믿지 못하였습니다.

그런데 그 후에 소하동에 대단위 아파트단지 건설이 시작되었습니다.

소하동 성전 대지 구입 동기

어느 날, 친구 목사로부터 연락을 받았습니다. 소하동에 아파트 단지가 들어서면서 어떤 분에게 주택공사에서 종교부지로 받은 땅 612평이 있는데 구입할 의사가 있느냐는 것이었습니다.

그래서 매도자를 만나 보았습니다. 종교부지를 받은 사람은 그곳에서 절을 운영하던 여스님인데, OO지방 신문사 대표가 그 판매를 대신한다고 하였습니다. 그 사람의 사무실로 가서 자세한 이야기를 들었습니다.

여스님이 종교부지로 받았는데 돈이 없어서 부채를 얻어 계약금을 지불하고 이자를 내고 있기 때문에, 자기가 모든 권한을 위임받아 판매를 진행하고 있다고 하였습니다. 땅을 평당 600만 원씩 분양 받았지만 800만 원에 매수할 의사가 있으면 계약을 하라는 것이었습니다. 약 50억 원이 되는 땅이었습니다.

교회로 돌아와 당회의를 열었고 의논한 끝에 구입하는 것으로 결정하였습니다. 그래서 OO신문사 대표에게 우리 교회 당회원실로 계약서를 가지고 오라고 약속 날짜와 시간을 정하였습니다.

그런데 계약하기로 한 시간에 오지 않는 것이었습니다. 그래서 전화를 했더니 안 팔겠다는 것입니다. 며칠 후에 만나서 다시 이야기를 하는데 평당 1,000만 원에 소개비 2억을 달라고 하는 것입니다. 그래서 우리도 거절하였습니다. "우리와의 계약은 끝났습니다. 나는 약속을 지키지 않는 사람과 거래하지 않습니다. 그리고 이렇게 야비한 짓을 하는 사람과는 더욱 거래하지 않습니다." 하고 돌려보냈습니다.

우리가 여러 방면으로 알아 본 결과, 소하동 신축 아파트 부지에 주택공사에서 나온 종교부지 4곳이 있는데, 2곳은 그 토지에 건물을 가지고 있는 사람들에게 우선권으로 분양하고, 2곳은 추첨을 하여 분양한다는 알게 되었습니다. 그래서 우리는 후자에 해당하는 2곳에 신청을 하고, 당첨되면 하나님의 뜻이고 안 되면 더 기다리기로 하였습니다.

하나님의 은혜로 여러 경쟁자를 뚫고 당첨됨

소하1동 새 아파트단지의 종교부지는 주택공사 매도가격이 하나는 1,365.28㎡(413평)에 약 30억 원이고, 다른 하나는 2,988.42㎡(904평)에 73억 원이었습니다. 우리는 이 두 곳에 신청을 할 때, 작은 평수가 당첨되면 교회 건축을 무리 없이 할 수 있기 때문에 내심 작은 평수가 되기를 바랐습니다.

하지만 우리의 바람과 달리 큰 평수가 추첨되었습니다. 당첨이 되자 자금 걱정은 나중일이 되고 모든 성도가 기뻐하였습니다. 그저 둘 중에 하나라도 되었다는 것에 감사하였습니다.

나중에 안 사실이지만 작은 평수에는 50명이 신청을 했고, 큰 평수에는 일곱 교회가 신청을 했다고 합니다.

하나님은 정확하신 분이었습니다. 우리는 당첨 확률을 높이기 위해서 작은 평수에는 나와 부목사 5명 명의로 신청을 하였습니다. 1명 당 1억 원을 먼저 입금해야 신청이 되었습니다. 그리고 큰 평수에는 교회 이름과 내 이름으로 두 개를 신청하였는데 교회 이름으로 신청한 것이 당첨된 것입니다.

하나님은 정확하게 교회 이름으로 당첨되게 하시고 광명시에서 가장 큰 종교부지를 우리 교회에 주셨습니다.

만약 부목사 이름으로 당첨되었으면 대출받을 때 여러 가지로 복잡한 문제가 생길 터인데 이 모든 것을 감안하시고 교회 이름으로 주신 것입니다. 그러니 하나님의 놀라운 섭리인 것입니다.

대지 구입비 준비

계약금은 그동안 모아둔 건축헌금 8억 원이 있어서 쉽게 지불하였습니다. 그리고 중도금을 위해서 전교인이 대지 건축헌금을 하였습니다. 헌금을 하고 모자라는 금액은 은행에서 대출받아 불입했습니다. 73억 원이라는 숫자는 우리로서는 상상도 하기 힘든 엄청 큰 금액이었습니다. 하지만 하나님이 하시니 모두 마련되었습니다.

하나님의 능력을 찬양하며 감사드립니다.

교회 건축 설계

교회 건축을 위해 우선적으로 교회 전문 설계사를 여러 군데 선정하여 그분들에게 가설계를 그려 오실 것을 요청하였습니다. 그중에서 A 건축설계 사무소가 그린 것이 가장 마음에 들었고, 당회의 논의를 거쳐 설계비 3억 원에 계약을 하였고, 그렇게 설계된 것을 가지고 광명시에서 심의를 거쳐 건축 허가를 받았습니다.

소하 휴먼시아 7단지 주민들의 민원으로 설계 변경을 하다

당시 교회부지 옆에는 소하 7단지 아파트가 건축 중에 있었는데, 그곳에 입주하는 주민들이 교회가 바로 옆에 있어서 조망권을 침해한다는 이유로 민원을 넣어 설계 변경을 요구하였습니다. 종교시설은 경계선에서 3m만 띄워서 지으면 허가가 됩니다. 그런데 20m를 띄워달라는 것이 주민들의 요구였습니다. 그 비싼 땅을 20m나 띄어달라고 하니 사실 어이가 없었습니다. 그러나 주민들은 교회라는 약점을 이용해서 끈질기게 요구하였습니다.

시청 건축과에서는 법적으로 이상이 없어 허가를 해 주고도 결국은 교회 측에서 주민들의 민원을 해결하고 건축을 하라고 통보하였습니다. 그래서 주민들과 여러 번의 협의를 거쳐 7단지 경계선에서 10m 띄워서 짓는 것으로 설계 변경을 하기로 결정하였습니다.

이렇게 다시 그린 설계도를 가지고 두 번째 허가를 받았습니다. 두 번째 허가를 받기까지 시간이 지체되어 교회는 피해를 많이 보았습니다.

이런 일들로 인해 중간에 설계 변경을 하게 되면 더 많은 비용이 지불될 것이므로 혹 다른 것에서 이상이 없는 지, 우리 교인인 O집사에게 설계도 검토를 부탁하였습니다. 그랬더니 60%밖에 설계가 안 되어 있어서 이 설계로 건축하게 되면 추가 비용이 많이 나온다고 말하는 것이었습니다.

우리는 A설계사무소에 세밀한 설계를 요구했지만, 계속 차일피일 미루거나 그 설계도면으로도 충분이 건축을 할 수 있다고 하였습니다.

그러자 O집사가 설계를 잘 해 주는 곳으로 옮기자고 하여 재설계를 하고 세 번째 허가를 받았습니다. 새로 옮기는 B설계사무소에서는 설계와 감리, 그리고 CM까지 해 주는 조건으로 3억 원에 계약을 하였습니다. 전 설계사무소에 지불했던 3억 원 중 1억 원은 돌려받고 새 설계사무소에 3억 원을 주었습니다. 결국 교회는 설계와 감리비로 총 5억 원의 비용을 지출한 것입니다.

설계사무소를 옮기는 과정에서 또 시간이 많이 지연되었고 교회는 계속 손해를 보게 되었습니다.

건설회사 선정 과정

건축 평수가 13,451.23㎡(4,069평)이나 되다 보니 들어가는 건축비가 상당한 금액이었습니다. 그래서 신중을 기해 여러 회사에 설계도를 보내고 건축 입찰을 신청하도록 하였습니다. 8개 회사에서 신청이 들어 왔고 최종 결정된 곳이 '야보건설' 회사였습니다.

그러나 안심이 되지 않아 일단 토목공사부터 맡겨 보고 잘 해주면 본 건물 공사도 계약하겠다는 조건을 걸고 토목공사만 13억 원에 계약하였습니다.

그런데 그 회사가 공사 중도금을 받아 하청업체에게 주지 않고 써 버렸고, 하청업체는 공사를 중단하겠다고 난리가 일어났습니다. 결국 하청업체는 야보건설로부터 직불허락서를 받아 와 교회에서 직불로 지급해 달라는 요구를 하였고, 교회는 하청업체에 직불로 지급을 하였습니다.

그런데 그 하청업체도 자신들의 하도급업체에 공사비 지불을 하지 않고 써 버렸습니다. 그래서 제일 말단에서 들어와 일하는 소형 하도급업체들이 일을 중단하고 시위를 하기 시작하였습니다.

확성기를 틀어 놓고 시위를 하고 경찰서에 신고하고 그래도 되지 않자, 어떤 사람은 자신의 몸에 시너를 뿌리고 라이터를 들고는 불을 붙여 분신자살 하겠다고 협박하며 난리를 쳤습니다. 경찰이 와서 조사를 했지만 교회는 아무런 잘못이 없고 건축업자들이 잘못한 것이라 그냥 갈 수밖에 없었습니다.

이런 사건들이 여러 번 발생하면서 한 달 정도 공사가 중단되었습니다. 결국은 공사를 진행시키기 위해서 교회가 더 많은 돈을 주게 되었고, 토목공사를 하는 것에만 18억 8천만 원이 들어갔습니다. 공사기간도 3개월 예정이었는데 7개월이 걸렸습니다. 이렇게 어렵게 공사가 진행되어 야보건설은 토목공사로 계약을 끝냈습니다.

다시 건설회사를 선정하다

교회는 건축을 해야 하는데 믿을 만한 회사가 없었습니다. 그때 우리 교회는 재정이 바닥 나 있었습니다. 돈이 없어도 준공까지 받아 줄 회사가 필요했습니다. 그래서 가능성이 있는 회사들과 의견을 타진했지만 그럴 만한 여지가 없었습니다. 우리는 난감하였습니다. 제일 중요한 건축비가 없었기 때문입니다.

그러다가 당회원들이 여러 번의 회의를 하면서 현재 우리 광명성전을 지은 창대건설에게 부탁해 보자는 의견을 내놓았고, 창대건설 대표와 의논한 결과 하겠다는 대답을 받았습니다. 그래서 본 공사는 창대건설에서 맡아 하게 되었습니다.

2010년 9월에 시작하여 2011년 8월에 공사를 마치기로 하였지만, 여기서도 여러 가지 문제가 발생하여 2012년 1월에 준공을 받고 3월 31일에 입당을 하게 되었습니다.

대지 2,988.42㎡(904평),
건평 13,451.23㎡(4,069평) 지하 3층, 지상 4층
옥　상 : 공원, 냉 · 난방기실
지상4층 : 대성전(1,000석), 유모실, 방송실, 화장실, 보일러실
지상3층 : 대성전(2,000석), 유아실, 인쇄실, 화장실, 보일러실
지상2층 : 새신자부실(50석), 남자휴게실, 여자휴게실, 성가대실(120석), 세미나실(100석), 대학청년부실, 교회사무실, 장년부, 교역자실, 영어선교원, 교회학교사무실, 오케스트라실, 재정부실, 창고, 십자가선교센터, 강사실, 관리집사실, 교역자식당, 당회원실, 비서실, 당회장실, 화장실, 보일러실
지상1층 : 로비, 52커피샵, 사랑나눔가게, 문화센터, 전도부실, 52어린이집(99명 정원), 창고, 보일러실, 주차장(15대), 어린이놀이터, 화장실

지하1층 : 새벽홀(400석), 해피홀(극장식의자 750석), 교육1관(120석), 교육2관(90석), 개인 및 단체기도실(20개), 보일러실, 창고, 썬큰. 화장실

지하2층 : 식당(500석), 썬큰, 체육실, 화장실, 창고, 열교환실, 주차장(40대)지하3층 : 기계실, 전기실, 발전실, 물탱크, 열교환실, 창고, 주차장(80대)

건축비는 계약금액이 110억 원이었는데 추가로 발생한 금액이 20억 원이었습니다. 그러나 합의 과정에서 10억 원만 주고 마치기로 하였습니다. 그래서 120억 원에 공사를 마쳤습니다.

이 많은 돈을 마련하는 과정은 정말 힘이 들었지만 모두 하나님이 공급하여 주셨습니다. 우리 교회에 기적이 일어난 것입니다.

내 집은 내가 짓는다

건축비를 마련하여 공사 때마다 지불하는 것은 매우 어려운 과정이었습니다. 성도들의 건축헌금으로는 이자 갚기도 부족하였습니다. 기성을 지급해야 하는데 재정이 없어서 매일 저녁 강단에 엎드려 하나님께 기도하였습니다. 3년 공사 기간 중에 2년 반은 강단에서 기도하다가 잠을 잤습니다. 그리고 집에 와서 아내와 함께 기도하기도 하였습니다. 그때마다 "내 집은 내가 짓는다." 하시는 응답을 받았습니다.

성도들도 매일 릴레이기도를 하였습니다. 3년 동안 교구에서 돌아가면서 소하성전 '땅 밟기 기도'를 하였습니다.

건축비를 마련하기 위해 온 성도가 마음을 다하였습니다. 가난한 사람들이 박스를 주워 팔아 건축헌금을 드렸습니다. 또 어떤 한 집사가

기증한 끌로랑이라는 제품을 열심히 판매하여 전액을 건축헌금으로 드렸습니다. 각 교구에서는 여러 가지 물건을 팔아 그 수익금을 건축헌금으로 드렸습니다. 이렇게 전교인이 하나 되어 헌신하였습니다.

하나님의 집은 하나님이 지으신다는 것을 소하성전을 건축하면서 깨달았습니다. 필요할 때마다 은행을 통해서 공급하셨는데, 때로는 은행 지점장의 마음을 강하게 움직여서 일이 진행되게 하셨습니다. 이 일이 진행되는 과정에서 O장로님과 O집사가 고생을 많이 하였습니다.

그렇게 불가능하게 보였던 건축이 끝나고 나서 결산을 해 보았더니 소하성전 대지와 건축 및 성물과 관련하여 들어간 금액이 3년 동안 264억 원이었습니다. 평상시에 우리가 상상도 할 수 없는 큰 액수였는데 하나님께서는 이 일을 행하신 것입니다.

큰 부자가 있어서 한 것도 아니고 성도가 한 것도 아니고 목사나 장로가 한 것도 아닙니다. 오직 하나님이 자신의 집을 지으신 것입니다.

[제6장] 다섯 번째 장소_
소하성전 건축과 오병이어 기적

"내 집은 내가 짓는다"

2012년 3월 31일 소하성전 입당 감사예배

2012년 3월 31일 토요일에 입당 감사예배를 드리게 되었습니다. 모든 순서는 노회원들이 맡았습니다. 특별히 나를 청년 때 신학교에 보내 목사가 되도록 만드신 미국 LA에 계신 명화영 목사님을 초청하여 설교를 부탁하였습니다. 그리고 옥토교회 원로목사이신 윤귀중 목사님께 축도를 부탁하였습니다.

외부 인사로는 광명시장 양기대 씨, 국회의원 전재희 씨, 국회의원 백재현 씨, 국회의원 이언주 씨, 광명시의회장 이준희 씨 등 다수의 정치인들이 참석하였습니다.

많은 내빈들과 많은 성도들이 참석하여 하나님께 영광을 돌렸습니다.

하나님의 임재와 천사들의 예배

입당 감사예배 후 집에 와서 아내가 말하였습니다.

"오늘 예배를 하나님이 받으셨습니다. 그리고 우리 교회는 부흥하여 대성전이 가득하게 될 것입니다. 오늘 입당 감사예배를 드리는데 구름이 하늘에서부터 내려와 성전 안에 가득하였습니다. 그리고 그 사이에 천사들이 내려와 예배당 4층까지 가득 채우고 예배를 드렸습니다. 그때 예수님이 강대상 위에 오셔서 예배를 받으셨습니다."

이 말을 들은 나는 처음 개척할 때도 비슷한 경험을 했던 것이 생각났습니다. 하나님은 살아계신 분입니다. 또 구약의 말씀이 생각났습니다.

(출 34:5) "여호와께서 구름 가운데에 강림하사 그와 함께 거기 서서 여호와의 이름을 선포하실새"

(출 40:34) "구름이 회막에 덮이고 여호와의 영광이 성막에 충만하매"
(왕상 8:11) "제사장이 그 구름으로 말미암아 능히 서서 섬기지 못하였으니 이는 여호와의 영광이 여호와의 성전에 가득함이었더라"

하나님께서 모세의 회막과 솔로몬의 성전을 받으신 것처럼 이 성전을 받으신 것입니다. 우리 교회 성도들의 교회 건축과 헌신이 하나님께 인정받은 것입니다. 우리들의 수고가 헛되지 않은 것을 하나님께서 알려 주신 것입니다.

하나님은 우리 교회와 함께 하고 계십니다. 그리고 하나님의 눈을 두어 주목하고 계십니다.

오병이어교회로 개명된 이야기

처음 교회 개척을 할 때 여러 이름을 써 놓고 기도하며 흔히 쓰이지 않는 새 이름, 그리고 성경에 맞는 이름을 지어보려고 하였습니다. 그 많은 이름 중에 '중원'이라는 뜻이 마음에 들어 '중원교회'로 교회 이름을 지었습니다. 많은 사람들이 중국의 중원을 생각하고 지은 것이냐고 물었습니다. 또 충북에 중원군이 있는데 고향이 거기냐고 묻기도 하였습니다.

'중원'이란 이름은 '중생과 구원'의 합성어입니다. 교회는 중생시키고 구원시키는 것이 옳다고 생각하여 지은 이름입니다. 그런데 하나님은 이름대로 교회에 복을 주셨습니다. 이상하게도 우리 교회에는 95%가 초신자만 오는 것입니다. 그것도 자진 등록자는 별로 없고 전도하여 등록을 시킨 사람들입니다.

다른 교회는 수평이동이 많다던데 우리 교회는 전부가 초신자였습니다. 그러다보니 초신자를 교육하고 훈련시켜 교회 일꾼으로 헌신하기까지 3년이 걸렸습니다. 목회자 입장에서는 힘든 목회였습니다. 게다가 일꾼으로 충성 할 만하면 이사를 가곤 하였습니다. 참으로 김빠지는 목회를 28년간 한 것입니다. 하루는 이런 현실이 힘들어 하나님께 기도하였습니다.

"하나님! 왜 우리 교회에는 초신자만 보내주십니까? 다른 교회에는 훈련된 일꾼도 많이 보내주시고 부자와 물질로 헌신하는 사람도 보내주시고 하는데, 우리 교회에는 초신자들과 가난한 사람들만 보내주십니까? 물질로 헌신하는 사람은 왜 안 보내 주십니까?"

하나님께서는 "너희 교회가 구원받은 사람이 많은 것으로 기뻐하라."라고 응답하셨습니다.

하나님의 말씀을 듣고 깨달았습니다. 교회는 이미 구원받은 사람이 수평이동 하는 것보다 믿지 않는 사람을 전도하여 구원받게 하는 것입니다. 그것이 또한 하늘에서의 상급이 더 크고, 또 숫자가 많고 알곡이 적은 것보다 구원받은 사람이 많은 것이 하나님 보시기에 옳은 것입니다. 그래서 그 다음부터는 그런 불평을 하지 않고 기쁜 마음으로 열심히 성도를 양육하였습니다.

그러나 새로운 성전에서는 새 이름으로 시작하고 싶었습니다. 이름대로 하나님이 축복하시니 이름을 잘 지어야 한다고 생각하였습니다.

먼저 당회원들에게 좋은 이름이 있으면 추천 해 주시라고 하였고, 교인들에게도 교회의 새 이름을 공모하는 광고를 하였습니다. 그러나 소하성전 건축을 시작할 때부터 부탁을 하고 기도하였지만 특별한 이름이 나오지 않았고 중원교회로 그냥 가자는 의견만 나오고 있었습니다.

그 당시 교회의 설계도가 여러 번 바뀌면서 교회 투시도 역시 바뀌게 되었는데, 최종 투시도가 완성되어 교회에 공개하였을 때의 일입니다. 성도들이 투시도를 보더니 "어? 이거 오병이어네!" 하는 것이었습니다. 교회 투시도에 큰 물고기 두 마리와 떡 다섯 개가 그려져 있는 것처럼 보인 것입니다.

그래서 나는 성도들에게 오병이어로 새 이름을 짓는 것이 어떻겠느냐고 물었고, 모두의 찬성으로 지금의 '오병이어교회'로 개명된 것입니다.

후에 투시도를 그린 설계사무소 대표에게 어떻게 투시도를 오병이어로 그리게 되었는지 물었더니, 교회에서 전 투시도가 마음에 들지 않는다고 하여 전문가에게 500만 원을 주고 그려 달라고 요청했는데 그렇게 그려왔다고 말하였습니다. 자기는 그것이 오병이어를 뜻하는 것인지도 몰랐다는 것입니다.

하나님은 이렇게 투시도를 그리는 사람 속에 역사하여 오병이어교회를 만드셨습니다. 정말로 우리 교회는 오병이어의 기적으로 세워진 교회입니다. 이 모든 것은 하나님이 하신 일입니다. 우리는 다만 기도하고 그때마다 순종한 것뿐입니다.

입당 후 오병이어교회를 음해한 세력들

소하성전 입당 후 광명성전과 함께 다시 전도에 총력을 기하고 있을 때입니다. 우리 교회 여집사 한 분이 와서 하는 말이, 우리 교회가 건축하다가 어려워서 이단에게 광명성전과 소하성전을 팔았다고 한다는 소문이 광명동에 돌고 있다고 것입니다.

누가 그러더냐고 물었더니 광명 OO교회 다니는 집사님이 그러시는데 '자기 교회에 소문이 났다'고 말했다는 것입니다. 그래서 우리 교회는 그런 적이 없다고 누가 거짓 소문을 내고 있는 모양이라고 말해주었답니다.

또 다른 성도가 찾아와 하는 말은, 철산동에서 전도를 하고 있는데 다른 교회 집사가 오더니 "오병이어교회 건축하다가 담임목사가 너무 힘들고 신경을 많이 써서 죽었다는데 참 안 되었네요." 하더랍니다.

어떤 성도는 교회 옆 농장에 갔더니 다른 교회 집사님이 "교회 건축하다가 어려워서 담임목사님은 다른 곳으로 떠나고, 그동안 목사님 여러 명이 바뀌었다고 하던데 참으로 힘드셨겠네요."하더랍니다. 다른 분도 담임목사님이 힘들어서 떠났다는 말을 들었다고 합니다.

내 아내가 오랜만에 OO교회 권사님이 하는 동네 미장원에 갔다고 합니다.

"사모님, 목사님 돌아가셨다면서요! 그래 얼마나 힘드셨어요? 몸이 쪽 빠지셨네요."

"아닌데요. 우리 목사님 건강하신대요?"

"저런, 얼마나 충격이 크셨으면 아직도 목사님이 살아있다고 믿으세요!"

"정말 아니라니까요?"

미장원 권사님이 잘 믿지 않더랍니다. 자기 교회에 소문이 쫙 났다고 하면서 말입니다. 어디서 그런 소릴 들었느냐고 했더니 자기 교회 목사님에게 들었다고 하더랍니다.

아내는 기가 막혀서

"권사님, 잘못 들으셨습니다. 우리 목사님 정말 아무렇지도 않습니다. 누가 거짓말을 한 것입니다."

이렇게 말하고 교회에서 입당 감사예배 드린 일을 자세히 설명해 주었다고 합니다. 그랬더니 "정말이세요?" 하길래 "지금 가서 확인해 보세요. 왜 멀쩡히 살아있는 분을 죽었다고 하는지 이해가 안 되네요." 하고 돌아왔다고 합니다.

그 외에도 어떤 교회는 오병이어교회를 이단 신천지라고 하고, 또 어떤 사람은 이단 하나님의 교회라고 하는 등 많은 음해 세력들이 생겨났습니다.

이것은 우리 교회가 광명시에서 제일 큰 교회 건물을 건축하게 되었음으로 인해 여러 가지 복잡한 마음에서 자기 성도들을 지키고 오병이어교회에 관심을 갖지 못하게 하려는 의도가 아닌가 생각해 봅니다.

아무튼 나는 죽었다는 소리를 많이 들어서 오래 살게 생겼습니다. 그리고 억울한 누명을 많이 썼으니 하늘의 상도 크고 복도 많이 받을 것이고 우리 교회는 부흥하게 되었습니다.

이러한 악소문이 2년간은 교회에 영향을 끼친 것 같습니다. 타 교회의 성도가 우리 교회를 찾아오거나 등록하는 일이 입당 후 2년 동안은 별로 없었습니다. 3년째가 되니까 많은 탐방객이 오는 것을 느꼈습니다.

입당 후 오병이어교회 성장이야기

입당 후 우리 교회는 그 넓은 예배당 좌석을 채우기 위해서 총력 전도프로그램을 가동하였습니다. 그래서 전도행사를 많이 진행하였습니다.

2012년 3월~5월. 제5회 소원기도전도대회

2012년 5월 29일~31일.바람바람 성령바람 전도축제

　　강사 : 박병선 안수집사, 최인수 목사, 주성민 목사, 이장원 목사, 임제택 목사, 이연호 목사2012년 6월~후년 8월. 격주 천국문과 지옥불 드라마

2012년 6월~8월. 제6회 물질 전도대회

2012년 8월 26일~28일. 2012희망축제 "기적"

　　강사 : 윤복희, 이용, 소향

2012년 9월~11월. 제25회 목장 영적추수 전도대회

2012년 11월 1일. 행복한 전도세미나

　　강사 : 박재열 목사, 백동조 목사, 방상철 목사, 엄호섭 장로.

2012년 12월~후년 2월. 제12회 예수님 전도법 전도대회
2013년 1월 13일~16일. 창세기 성경집회/ 강사 : 권영구 목사
2013년 3월 10일~13일. 출애굽기 성경집회/ 강사 : 권영구 목사
2013년 3월~5월. 제6회 소원기도전도대회
2013년 6월~8월. 제7회 물질 전도대회
2013년 7월 17일. 신바람 힐링축제
강사 : 개그맨 정종철, 임동진 목사, 개그맨 배영만, 김종찬 목사
2013년 8월 18일. 광명경찰서장 김종섭 장로 초청 간증집회
2013년 9월~11월. 제26회 목장 영적추수 전도대회
2013년 10월 31일. 신바람 힐링 전도축제
강사 : 윤항기 목사, 엄호섭 장로, 김문훈 목사, 배영만 전도사
2013년 12월~후년 2월. 제13회 예수님 전도법 전도대회
2013년 12월 5일. 직분자훈련과 교회부흥
강사 : 김인중 목사, 손현보 목사, 정성진 목사, 이문희 목사
2014년 2월 23일. 경기대학교 경영대학원 원장 송하성 장로 간증집회
2014년 3월~5월. 제7회 소원기도전도대회
2014년 6월~8월. 제8회 물질 전도대회
2014년 9월~11월. 제27회 목장 영적추수 전도대회

그렇게 2012년에 1,300명을 등록시켰고, 2013년에는 1,450명을 등록시켰습니다. 그리고 2014년 7월 25일 현재까지 800명을 등록시켰습니다.

우리 교회는 수천 명의 교회로 성장하였습니다. 지금은 일만 명을 향하여 질주하고 있습니다.

하나님께 진심으로 감사를 드립니다. 그리고 하나님께만 존귀와 영광이 있으십니다. 살아계신 하나님을 찬양합니다.

우리 교회의 비전

우리 교회는 다른 교회와 같이 커다란 비전이 없습니다. 하나님의 뜻대로 하나님의 나라 확장을 위하는 일을 할 것입니다.

첫째가 사람을 키우는 일입니다. 한 사람이 수십 명, 수백 명, 수천 명, 수만 명을 살릴 수 있습니다. 둘째가 한국과 선교지에 교회를 지어 드리는 것입니다. 한 교회가 생기면 수백 명의 영혼이 구원받게 됩니다.

선교지에 50평짜리 교회 하나를 지어주면 아이들을 포함한 수백 명이 몰려들어 하나님을 믿고 구원받게 됩니다. 그중에서 충성스런 사람을 양육하여 더 큰 일을 하도록 훈련하고 하나님의 일을 맡기는 것입니다. 사도행전의 초대교회가 이 사역을 하였습니다. 우리도 닮아가야 합니다.

우리에게는 십자가의 길 양육시스템이 있습니다. 이것은 사람을 살리기 위한 시스템입니다. 이 좋은 것을 하나님이 주셨으니 이것을 세상 끝까지 전달해야 합니다. 그래서 많은 사람을 하나님의 충성스런 일꾼으로 만들어야 하고, 그들에게 교회를 세워주어서 많은 사람을 구원받게 하는 사역을 하게 해야 합니다. 이런 일이 주님 오실 때까지 계속 반복되어야 합니다.

한국교회의 개혁은 우리 교회부터

교회의 문제점은 아래에서 일어나는 것이 아닙니다. 언제나 보면 위에서부터 일어나 교회를 파괴시킵니다.

특히 현재의 기독교는 천주교, 성공회, 루터교, 구세군, 개신교 등 많은 문제점을 안고 있습니다.

어떤 것은 성경에서 많이 벗어나 있는데도 전통을 따르다 보니 성경을 위반한 것이 보이지 않고 잘못한 것도 시정하지 않고 있습니다. 또 잘못된 것을 발견하고도 고치려고 하지 않습니다.

하나님의 영광을 위한다고 하면서 개인이 받고 있는 것을 봅니다. 하나님께 예배한다고 하면서 사람이 받고 있으며 주님의 이름으로 시작하면 어떤 짓을 해도 죄가 되지 않는 것처럼 생각합니다. 또 이런 것을 분별하지도 못합니다.

예를 들면 'OO 이취임 감사예배'라고 해 놓고는 그곳에 있는 사람들의 화려한 경력을 소개하며 박수를 보내고, 그 사람들이 영광을 받으며 잔치하는 모습을 봅니다. 주님의 이름으로 시작해 놓고 뒤로 갈수록 하는 짓은 사람이 높임 받고 박수 받고 영광 받고 있습니다. 하나님은 어디에 계시는지 안 보이고 사람만 보입니다.

임직식에 가보면 목사 가운 입은 사람도 있는 반면, 박사 가운을 입은 분도 있습니다. 방송 설교에서도 박사 가운을 입고 설교하는 사람들을 봅니다. 하나님 앞에서 목사보다 박사라는 소리 듣는 것이 더 좋은 모양입니다. 겸손이 없습니다. 죄인 된 우리가 목사 가운 입는 것도 부족하고 황송한데, 자신을 드러내기 위해서 박사 가운 입고 임직식과 설교를 한다면 예수님께서 어떻게 생각하실까요?

이러한 것들이 죄인 줄 모른다면 다른 죄들도 죄인 줄 모르는 것입니다. 이것은 사소한 예일 뿐입니다. 교회에서 목사들이 잘못하는 죄가 많이 있습니다. 또 장로들도 잘못하는 죄가 많습니다.

교회를 다니고 하나님을 믿는다고 하면서 가장 기본적인 신앙생활도 하지 않는 중진들이 있습니다. 자기 의무는 다하지 않으면서 자기 권리는 주장합니다. 교회에서 대접이나 받으려 하고 큰소리치고 교만하고, 불만 불평하며 교회를 어지럽게 하고, 다른 사람을 시험 들게 하는 사람들이 있습니다.

여기에 일일이 다 열거 할 수가 없습니다. 죄를 지적하면 회개하는 것이 아니라 '너는 잘 하냐? 너만 의롭냐?' 이렇게 말합니다. 그러니 할 말이 없는 것입니다. 이렇게 되면 교회 개혁은 더 어렵습니다.

그런데 이런 문제를 한 번에 해결할 수 있는 방법이 있습니다. 그것은 목사와 장로, 그리고 안수집사와 권사까지 4년에 한 번씩 신임투표를 하는 것입니다.

그렇게 되면 목회자도 하나님의 뜻대로 살려고 노력할 것이고, 장로나 안수집사, 권사도 최소한의 노력은 할 것입니다.

할 수만 있으면 모든 교회가 4년마다 신임투표 하기를 원합니다. 우리 교회는 4년에 한 번씩 신임투표를 하고 있습니다. 이러한 법은 2001년에 당회를 거쳐 공동의회에서 통과되어 시행하고 있습니다.

한국교회의 개혁을 위해 우리가 본을 보이는 마음으로 4년마다 신임투표 할 것을 담임목사가 발의하였고, 2001년 9월 9일 당회에서 만장일치로 통과되었으며, 2001년 9월 30일 공동의회에서 만장일치로 결정되었습니다. 그리고 4년 후,

2005년 10월 30일 1회 신임투표를 하였고

2009년 10월 25일 2회 신임투표를 하였고

2013년 11월 10일 3회 신임투표를 하여

담임목사 95%/ 장로 평균 91.3%/ 안수집사 평균 93.1%/ 권사 평균 91.6%로 매우 좋은 신임을 얻었습니다.

이렇게 한국교회가 자발적으로 4년 마다 목사와 중진의 신임투표를 하여, 결과를 발표하고 4년 동안 홈페이지에 공개한다면 큰 효과가 나타날 것입니다. 하나님이 원하시는 교회로 자연스럽게 개혁될 것입니다.

한국교회의 개혁을 위해 여러 번 발표함

OO교단 바른 목회 협의회에서 안건을 발표하였습니다. 우리가 바른 목회를 하려면 여러 가지 법안을 만드는 것보다 4년마다 목사가 성도들에게 신임을 물으면 된다고 발언하였습니다. 그렇게 되면 목사가 성도들의 본이 될 것이고, 교회는 자연스럽게 개혁되어 바른 목회가 이루어진다고 말하였습니다.

그런데 큰 교회 목사들부터 못한다고 하는 것입니다. 작은 교회 목사도 마찬가지였습니다. 이유는 신임을 얻을 자신이 없다는 것이었습니다.

이대로라면 바른 목회는 이루어지지 않습니다. 교회는 외적으로 크게 성장할 수 있을지 모르나 하나님이 원하는 교회가 아니라 목사가 원하는 교회가 되는 것입니다.

그 외에도 주변의 교회들과 사람들에게 교회를 바르게 하는 길은 4년마다 신임투표 하는 것이라고 하며 한 번 시도해 보라고 하였습니다. 그랬더니 장로들만 시키겠다고 합니다.

타당성이 없는 생각입니다. 장로들만 바로 서는 것으로는 교회가 바른길을 가지 못합니다. 이런 모습들이 큰 교회나 이단들에게서 나타나고 있습니다.

교회는 목사의 것도 장로나 중진들의 것도 아닙니다. 하나님의 것입니다. 사람을 살리고 하나님의 뜻을 이루어 드리는 일에 거침돌이 된다면 회개를 하고 고치든지, 아니면 그만두고 할 수 있는 사람이 이끌어야 합니다.

성도에게 신임을 얻지 못하는 목사나 장로, 안수집사, 권사는 스스로 물러나서 겸손하게 무릎 꿇고 낮은 자세로 신앙생활 해야 합니다. 그것이 교회를 살리고 하나님의 뜻을 이루어 드리는 일입니다.

그래야 두려운 하나님의 심판을 받지 않을 것입니다. 앞으로 한국교회나 세계교회가 4년마다 신임투표 하는 운동이 일어나 스스로 개혁하고 정화하는 일들이 있기를 기도합니다.

4년마다 신임투표하는 규칙의 목적

이 규칙의 목적은 투표를 하여 신임을 얻지 못한 사람을 가려내어 쫓아내자는 뜻이 아닙니다. 신임투표에서 좋은 표를 얻을 수 있도록 평상시에 신앙생활을 잘 하자는 뜻입니다.

임직할 때는 2/3의 표를 얻어야 신임을 얻지만, 신임투표는 과반 수 이상을 얻으면 인정되도록 하였습니다. 즉 사람을 죽이려는 법이 아니라 최소한의 교회생활이라도 책임있게 하여 개인도 살리고 교회도 살리려는 목적이 있습니다.

교회로서는 중진이 떠나게 되면 옳고 그름을 떠나 손해입니다. 교회는 가능하다면 잘못을 한 사람이 회개하고 다시 일꾼이 되도록 하는 것이 바람직하며 그것이 하나님의 뜻이기도 합니다. 그래서 이런 기회가 모두 가능하도록 만든 규칙입니다.

또 당시에 신임을 얻지 못했을지라도 1년간 유예하여 한 번 더 기회를 주고 다시 신임을 물어 신임을 얻으면 계속 그 직책이 유지되도록 하였습니다.

가능한 사람을 살리려는 목적으로 만든 것입니다. 그러므로 규칙의 취지를 잘 살리면 개인도 신앙생활 잘 해서 좋고, 교회도 바르게 갈 수 있으니 안정적이고 좋은 것입니다.

처음에는 담임목사와 장로만 신임투표 하기로 하고 4년을 지냈는데, 긴장도 하였지만 최대한 노력하는 마음으로 신앙생활 하게 되어 교회에 유익이 되었습니다. 결과적으로 교회뿐 아니라 개인 신앙성장에도 도움이 된 것입니다. 그래서 안수집사와 권사들도 기본적인 신앙생활을 잘 하도록 하기 위해서 공동의회에서 안건으로 채택하여 통과되었고, 2005년부터는 중진 전원에게 4년마다 신임투표를 하고 있습니다.

<오병이어교회 신임투표 규칙>

1. 목사와 장로, 안수집사, 권사는 매 4년 10월 마지막 주일에 신임투표를 한다.
2. 신임투표는 공동의회에서 한다.
3. 공동의회는 2주 전부터 광고하여 성도들에게 기도할 시간을 준다.
4. 신임투표는 투표자수의 과반수 이상으로 한다.
5. 신임투표에서 과반수가 안 되어 불신임을 얻은 목사는 근신하면서 직무를 보고 1년 후에 재신임투표를 한다. 이때 신임을 얻으면 재직하면 되고 불신임을 얻으면 사임하고 다른 곳으로 간다.
   그리고 불신임을 얻은 장로, 안수집사, 권사는 안식하고 1년 후에 재신임투표를 한다. 이때 신임을 얻으면 재직하면 되고 불신임을 얻으면 교회 중진 직책을 상실한다.
6. 이 법은 공동의회에서 통과된 후 즉시부터 발효한다.
7. 당회장은 교회에서 필요하다 생각되어지면 언제나 어떤 사람을 신임투표 할 수 있다.
8. 이 법의 발표 전의 목사나 장로는 이 법이 발효한 후부터 4년 후 신임투표한다. 발효 후 목사나 장로가 된 자는 목사 청빙받은 날과 장로 임직 받은 날을 기준하여 4년이 된 후 10월 마지막 주일에 신임투표한다.

2001년 10월 30일
공동의회 의결됨

모든 교회가 신임투표를 하면 교회가 정결해질 것입니다. 모든 교회가 이 운동을 일으켜 주시기를 기도합니다.

나의 꿈을 포기하고 하나님 말씀에 순종한 결과, 다음과 같은 수천 명의 하나님의 일꾼들을 키울 수 있어서 행복합니다.

[정상금 목자]

5년 전 간암이었던 저는 오병이어교회에 와서 하나님을 전적으로 만나게 되었습니다.

새벽기도를 통해 담임목사님께서 전해주시는 은혜로운 말씀을 듣고 1시간 이상 눈물의 기도를 드리는 가운데 마음에 평강이 찾아오면서 치유가 되었습니다.

우리 교회는 성령 충만한 교회라서 기도하면 많은 기적이 일어나는 것을 보게 됩니다. 저는 걸음마도 못하는 아이가 뛰고 싶어 하듯 뭔가 하고 싶은 마음으로 헌신하게 되었습니다.

오병이어교회에서 십자가 양육시스템을 통해 다른 교회에서 채워지지 않던 갈급함이 채워졌습니다. 특히 '예수전도법' 훈련을 받고 제가 만난 하나님을 믿지 않는 분들에게 전하고 싶은 간절함이 생기기 시작했습니다.

교회 식당에서 일하면서도 영혼을 사랑하는 마음을 품고 예수전도 법으로 주섬대사(주고 섬기고 대접하고 사랑하고)를 실천하며 전도하려 하면, 하나님께서 많은 영혼을 붙여주시고 열매도 맺게 해 주십니다.

주님이 부르시는 날까지 전도 많이 하여 하나님께 칭찬받기를 원합니다.

[백세영 목자]

저는 믿는 집안에서 태어나 어렸을 때부터 교회에 다녔고, 청년부에서는 셀 리더로 사역하며 나름 열심히 신앙생활을 해 왔습니다. 세상적으로도 언어치료사로서 일하며 나름 열심히 살아왔다고 생각했었습니다. 그러던 저는 오병이어교회에 오게 되면서 내가 얼마나 영적세계에 대해 무지했으며 나의 신앙이 교만했었는지 깨닫게 되었습니다. 같은 교구에 속한 집사님의 축사기도 자리에서 저는 제 속의 악한 영의 존재를 경험하게 되었습니다.

'교만' 의 악한 영은 성령인척 하며 하나님에 대해 바르게 알지 못하도록 교묘히 저를 속이고 있었습니다. 저는 담임목사님의 말씀 중심의 지도아래 영적 분별력을 키울 수 있었고, 영적 문제를 해결받을 수 있었습니다.

저는 영적 체험을 통해 영적 전쟁에서 승리하기 위해서는 반드시 성경에 대해, 하나님에 대해 올바르게 알아야 한다는 것을 깨닫게 되었습니다. 그 예로, 전인치유를 통해 나에게 상처를 준 사람을 용서하지 못할 때, 나의 마음에 마귀가 들어와 육체에 집을 지을 수 있다는 것을 알게 되었고, 용서함의 중요성과 하나님의 사랑으로 용서하는 법을 배우게 되었습니다.

양육시스템은 저에게 영적 성장을 이루게 해 주었습니다. 뿐만 아니라 태신자에게도 1:1 양육을 통해 말씀을 전해야 한다는 사명감을 가지게 되었고, 현재 태신자에게 '인간의 삶' 양육을 통한 전도를 하고 있습니다.

[정귀임 집사]

결혼 이후 광명에서 오병이어교회를 다니며 신앙인다운 생활을 제대로 시작하게 되었습니다. 먼저는 구원의 확신을 갖게 되었습니다. 담임목사님의 PPT 영상과 성경을 중심(인용)으로 한 설교를 통해 깊은 영적 회심의 기회를 갖게 되었으며 더욱이 구원의 확신을 갖게 된 것입니다.

아울러 오병이어교회를 통해 '귀신의 존재 및 역사'에 대해 알게 되었습니다. 귀신이 우리를 어떻게 공격하고 사람을 얼마나 피폐하게 만드는지를 실제로 알게 된 것입니다. 더욱이 귀신을 쫓아내는 방법 및 귀신의 존재를 다루는 방법도 알게 되었습니다.

양육시스템의 좋은 점은 첫 번째로 '쉽다'는 것입니다. 즉 배우는 학생 입장에서도 쉽게 이해할 수 있고 쉽게 내 머릿속에 정리할 수 있다는 것입니다. 그렇다고 내용 자체가 가볍다고 말할 수 없으며 성도의 신앙생활에 핵심을 파악하는데 큰 도움을 줍니다.

두 번째로 '예수님 전도법'을 통해 전도하는 것은 참으로 쉽습니다. 전도의 명쾌한 실제 및 관계법, 예수님의 전도법에 대해 이해하게 되며 성도의 삶에 실제적으로 적용이 가능하다는 것을 느끼게 됩니다.

[지인숙 집사]

우리 오병이어교회는 영적인 종합병원입니다. 즉 육체적인 질병과 영적인 질병이 있다면 치료할 수 있는 목회자와 성도, 기도자가 항상 대기하고 있다는 뜻입니다. 그리고 실제적으로 육체적인 치료가 필요한 분이나 영적으로 치료가 필요한 분들에게 치료약과 처방전을 내주는 교회라고 할 수 있어 좋습니다. 따라서 이 곳에서 신앙생활을 하게 되면 영적으로 성장할 수밖에 없습니다.

양육시스템을 마친 분들은 정착이 참 잘 됩니다. 이전에 다른 교회에서 오신 분들이 양육시스템을 통해 공부를 하게 되면 처음에는 어색하다가 성경공부의 명쾌한 강의 및 신앙의 핵심을 매우 쉽게 깨닫게 됨으로 획기적인 신앙의 재정립을 갖게 됩니다. 또한 어떤 사람도 쉽게 목자로 양육 받아 리더로서 세움을 받을 수 있는 시스템입니다.

[조성순 목자 권사]

나그네 같은 인생길에서 오병이어교회를 만나 새벽기도를 통한 성령 체험과 영적으로 뜨거운 기도훈련을 받으면서 인생의 어려운 문제들을 해결하고 하나님 나라가 가정 가운데 임재함을 느끼며 수 많은 축복을 받았습니다. 감사드립니다.

또한 양육시스템을 통한 기도학교와 삶 시리즈를 통하여 삶에 변화가 왔습니다.

기도가 능력이며 기도만이 살 길이라는 담임목사님 말씀에 순종하여 기도를 했는데, 축복의 삶은 하나님께 드리는 것이라는 것을 알게 하셨고 변함없는 십일조와 감사헌금을 드리면서 풍성한 일용할 양식은 물론이거니와 사업에는 언제나 주님이 먼저 앞서서 길을 열어 주셨습니다. (시 46:10) “너희는 가만히 있어 내가 여호와 하나님 됨을 알지어다.” 하는 말씀을 늘 읊조리게 하시고 교만하지 않도록 나를 겸손하게 하셨습니다. 하나님께 영광을 올려드립니다.

[허정애 목자 권사]

저는 1995년 오병이어교회에 등록했습니다. 20년 동안 섬겨오던 이전 교회가 큰 시험을 당하게 되어 그 계기로 기도생활을 하기에 좋은 오병이어교회로 옮기게 되었습니다.

주일예배를 비롯하여 모든 공 예배와 기도회에 철저히 참석하며 열심히 신앙생활을 했습니다.

몇 년 후, 광명에서 시흥으로 이사를 하여 교회가 멀어졌지만 말씀의 은혜와 성령이 충만한 교회를 떠날 수 없어 남편과 변함없이 오병이어교회를 다녔습니다.

그러던 중 남편이 대장암 4기로 판명이 되어 수술을 하고 9번이나 항암 치료를 받게 되었습니다. 앞이 깜깜하고 어두운 터널을 지나는 것과 같았습니다. 하지만 남편은 병원 검사를 받는 것보다 하나님의 치료하심을 더욱 의지했습니다. 금요기도회 시간과 주일예배 시간에 담임목사님의 치유기도를 받았는데 병이 점점 호전되어 10년이 지난 지금까지 잔병 없이 건강하게 신앙생활하고 있습니다.

이러한 하나님의 역사로 인해 남편과 저의 믿음은 더욱 견고해 졌고 십자가의 길 양육시스템 과정을 통해 믿음이 견고하게 성숙하게 되었습니다.

남편은 주차부장과 예배부장, 그리고 목자로 하나님을 섬기는 일에 헌신을 다하고 저 또한 목자와 전도자로 하나님의 뜻이 이루어지는 일에 헌신을 다하고 있습니다.

하나님께서 또한 저희 두 부부에게 장로와 권사의 직분을 허락해 주셔서 감사함으로 하나님을 섬기고 있습니다. 영적으로 나약하고 한없이 부족했던 저희 부부가 오병이어교회 십자가의 길을 통해 하나님의 나라와 의를 위해 살게 된 것을 하나님께 감사할 따릅니다. 할렐루야!

[안수옥 성도]

오병이어교회를 다니면서 좋은 점은 하나님께 기도드리면 들어주신다는 것입니다. 마치 항상 내 곁에서 듣고 계시며 보고 계신 듯합니다.

특히 대적기도는 어찌나 영적인 힘이 큰지 그 즉시로 응답을 받습니다. "예수 이름으로 물러가라!"는 말이 끝나기도 전에 치유됨을 느끼며 목사님께 안수기도를 받으면 3살짜리 손녀도 주사를 맞은 것처럼 낫는 경험을 합니다.

새가족학교에 새가족들을 초대합니다. 새가족학교를 함께 듣는 새신자들 모두 자아가 부서지고 영성이 자라는 일을 경험하였습니다.

이 양육시스템은 우리 교회에만 있는 시스템이고 더구나 우리 담임목사님이 직접 만드신 시스템이라 더 좋습니다. 너무나 존경하며 이런 교회로 인도하신 하나님께 무한 감사드립니다.

[조순미 권사]

좋은 생각이나 나쁜 생각들이 다 내 생각인 줄 알고 살아왔으나 나쁜 생각들을 악한 영들이 준다는 것을 알고 많이 놀랐습니다.

그 악한 영들을 예수님의 이름으로 물리치는 것을 배우게 되었고 기도로 물리쳤더니 그동안 생각으로 나를 힘들게 했던 것들이 떠나가는 경험을 하였습니다.

영적인 분별력이 생겼으며 평안과 기쁨이 찾아와서 좋았습니다. 그리고 영적으로나 육적으로 힘들 때마다 기도로 이겨낼 수 있는 힘을 기르게 되어 좋았습니다.

신앙생활을 처음 시작하면서 몰랐던 성경에 대한 지식을 바르고 쉽게 배우며 깨닫게 되어 나 자신을 하나님이 원하시는 사람으로 고쳐 나갈 수 있어 너무 좋습니다.

또 하나님은 어떤 분이시고 어떠한 사람을 좋아하며 싫어하시는지를 체계적으로 배워 목장원들을 가르칠 수 있어 좋고, 목장원들이 양육시스템을 통해 믿음이 자라는 것을 보게 되었습니다. 십자가의 길 양육시스템을 주신 하나님께 감사드립니다.

[김양희 목자]

오병이어교회는 정말 말씀 중심인 교회, 하나님 중심 교회입니다.

죄가 무엇인지도 모르고 어린 시절 잠시 교회를 다녔는데, 오병이어교회 와서 하나님 앞에 무엇이 죄인지 정확히 알고 말씀으로 쉽게 알려주셔서 말씀이 삶이 되게 해 주셨습니다. 몸으로 성령 하나님이 살아계시는 걸 쉽게 체험하고 악한 영 또한 분별할 수 있고, 영적 싸움에서 승리하는 방법을 제시해 주셔서 신앙생활이 기쁘고, 열매와 기적을 체험할 수 있어서 너무 감사합니다. 오병이어교회 하나님 중심 교회 최고입니다.

우리 교회 양육시스템은 너무나 능력이 있고 누구나 기도와 말씀을 쉽게 알 수 있어 좋습니다.

특히 새가족학교, 기도훈련집으로 개인의 신앙이 자라고, 양육 교재는 초신자도 누구나 가르칠 수 있는 영성이 흐르는 교재입니다. 기도훈련집은 정말 정말 능력이 있고 기도만으로도 삶이 변화가 됩니다.

십자가의 길을 마치면 예수님의 제자가 되어 목자로 헌신할 수 있습니다. 누구나 리더가 되어 하나님 말씀을 전하는데 쓰임 받을 수 있어서 감사합니다.

말씀 중심 기도가 살아있는 오병이어교회에 다닐 수 있어서 하나님께 감사드립니다.

[송민주 목자]

오병이어교회를 다니면서 영적으로 좋았던 것은 모든 공 예배와 금요철야, 수요기도회, 새벽기도에서 선포되는 말씀을 통해 하나님의 살아계심과 또 말씀으로 제 삶을 터치하시고 변화시키는 하나님을 경험하게 된 것입니다.

오병이어교회 양육시스템을 통해 말씀을 체계적으로 배울 수 있어서 좋습니다. 불신자 가정에서 자란 저에게 삶 시리즈와 학교 시리즈는 기독교와 하나님에 대해 바르게 배울 수 있는 기회였습니다.

인간중심적이었던 제 사상과 생각들이 오병이어교회를 다니면서 하나님 중심으로 변화되었습니다.

십자가의 길 양육시스템을 이수 받은 후 저 또한 다른 사람을 양육하여 리더를 세우는 목자로 쓰임 받을 수 있게 되어 감사합니다. 양육할 때마다 절망 가운데 있던 목장원들이 은혜 받고 그들의 삶이 변화되는 모습을 보면서, '십자가의 길은 사람을 살리는 길이구나.' 하는 확신을 가지고 저 또한 다른 목자들처럼 오병이어교회와 십자가의 길을 열심히 전하고 있습니다.

살아있는 기도와 체계적인 양육시스템을 통하여 쓰임 받는 오병이어교회 성도라는 것에 감사와 자부심을 느낍니다.

[김희형 집사]

저는 인생의 어려움 가운데 더 이상 길이 보이지 않는 때에 오병이어교회를 오게 되었습니다. 이렇게 하나님은 50년 넘게 내 생각만으로 살아온 내게 말을 걸어오셨고 먼저 손 내밀어 주셨습니다. 십자가의 길을 양육받던 초기에 목사님께서 "하나님께서 한 사람, 한 사람을 친히 부르신 것이다." 라고 하실 때 "설마, 그럴 리가요. 교회 다닌 적도 없는 나를 하나님이 어찌 아시고... 말도 안 됩니다." 라고 하며 주님을 영접했던 기억이 생생합니다. 그런데 사실이었습니다.

"하나님! 잘못했습니다. 전지전능하신 하나님을 모르고 죄 가운데 살았던 저를 용서해 주세요. 광야에서 40년을 보낸 목이 곧은 백성이 다름 아닌 저였군요. 많이 기다려 주셔서 감사합니다, 하나님!" 이렇게 주님을 만나고 제 2의 인생을 살게 해 주셨습니다.

그러던 중, 멀리 광주에 사는 여동생이 2013년 1월 갑상선암과 유방암을 동시에 선고받고 수술을 받기에 이르렀습니다. 저는 병문안을 가면서 신앙을 받아들이지 않던 여동생에게 삶 시리즈 책자와 기도훈련집을 선물하였습니다.

그렇게 선물한 인간의 삶과 기도학교 책 두 권을 함께 읽어 내려갔고 완강했던 동생도 어느덧 마음이 열리고 하나님을 받아들게 되었습니다. 지금 동생은 이 모든 병에서 완전히 회복되어 가까운 교회에 나가 열심히 신앙생활 하고 있습니다.

신앙을 가진 지 1년 남짓한 초짜인 저를 통해서도 하나님이 이렇게 놀라운 일들을 행하시는 것이 신기하고, 특별히 십자가의 길 양육시스템을 통해서 불신 동생이 주님께 돌아온 것이 너무 감사합니다.

[박수경 목자]

얼마 전 각 교구마다 축사 기도를 했었는데 태어나서 처음으로 사람 몸 안에 귀신이 들어가서 그 귀신이 영적인 세계를 말하는 것을 보고 신기하고 놀라웠습니다. 그런 기도회를 통해서 늘 깨어 기도해야 하는 것과 말씀과 믿음으로 살아야 한다는 것, 성령 충만함과 능력이 있어야 영적 싸움에도 이기며, 하는 일들도 능력 있게 할 수 있다는 것을 알게 되었습니다. 그리고 전도의 중요성, 마귀가 가장 싫어하는 것도 전도라는 것을 알게 되었습니다.

예전에 청년 때부터 말씀에 갈급함이 있었는데 오병이어교회는 오자마자 목장에서, 교회에서 양육이 있어 좋았습니다. 쉬우면서도 필요한 말씀을 가지고 양육하니 배우기도 쉽고 가르치는 부분도 쉽고 좋았습니다. 특히 새가족 교육이 개인적으로 좋았고 전인치유도 좋은 것 같습니다.

양육교재

인간의 삶(개정판)
값 5,000원

인간이 고통을 당하는 이유를 성경을 통해 명확하게 알려주며 자신의 모습을 돌아보게 합니다.

새로운 삶(개정판)
값 5,000원

하나님을 알고 살아가는 삶이 새로운 삶임을 깨닫게 하며, 가르치는 자와 배우는 자가 동일하게 세워지도록 합니다.

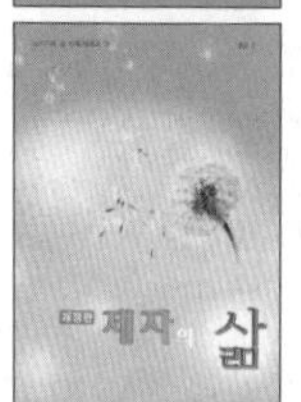

제자의 삶(개정판)
값 5,000원

예수님의 진정한 제자는 어떻게 살아야 하는가를 성경적으로 권면합니다.

축복의 삶(개정판)
값 5,000원

하나님의 자녀로서 축복받는 삶이 무엇인가를 배우며 기쁨과 감사함으로 살아가게 합니다.

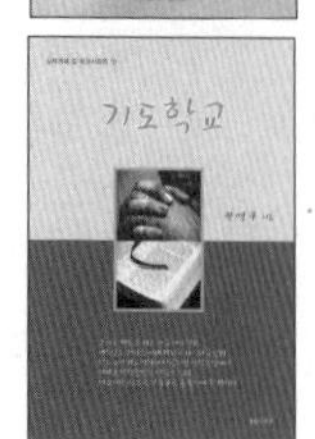

기도학교
값 3,500원

기도에 대해서 알고 싶어하고 배우고 싶어 하는 성도들을 위해 하나님께서 들어주시는 올바른 기도를 가르쳐 줍니다.

새가족학교
값 3,500원

교회에 나오는 새가족들이 궁금해 하는 모든 내용들을 정리하여 그들의 궁금증을 해결해 주어 정착하도록 돕습니다.

전인치유학교(성도용)
값 4,500원

어떻게 하면 하나님이 사람을 치료하는 것을 찾아볼까 하는 고민 중에 본 치유 프로그램이 만들어졌습니다. 이 치유 프로그램은 성경적인 치유를 전제로 만들어졌습니다. 인본적인 치유가 아니라 성경적인 치유 프로그램인 것입니다.

전인치유학교(리더용)
값 8,000원

어떻게 하면 하나님이 사람을 치료하는 것을 찾아볼까 하는 고민 중에 본 치유 프로그램이 만들어졌습니다. 이 치유 프로그램은 성경적인 치유를 전제로 만들어졌습니다. 인본적인 치유가 아니라 성경적인 치유 프로그램인 것입니다.

목자예비학교
값 4,500원

평신도 리더로서 사역할 수 있도록 모든 소그룹 인도 방법을 자세하게 가르쳐 줍니다.

전도학교(예수전도법)
값 3,500원

예수전도법을 통하여 불신자를 전도하는 모든 방법을 가르쳐 전도는 누구나 할 수 있다는 자신감을 갖게 합니다.

교회학교 양육교재

인간의 삶(교회학교)
값 3,500원

새로운 삶(교회학교)
값 3,500원

제자의 삶(교회학교)
값 3,500원

축복의 삶(교회학교)
값 3,500원

새가족학교(교회학교)
값 4,500원

단행본

세계교회는 십자가의 길로 간다 값 8,000원

십자가의 길은 독자들에게 비전과 소망을 줄 것입니다. 목회의 목마름을 해갈해 줄 것입니다.
아울러 본 저서는 목회를 잘 해 보고자 하는 열심있는 목회자들과 목회에 지친 분들에게 새 힘을 불어넣는 좋은 책이 될 것입니다.

당신도 훌륭한 목회를 할 수 있다(상) 값 10,000원

목회를 하면서 많은 시행착오를 겪었다. 누군가 코치를 해 주는 사람이 있었으면 좋았을텐데 불행히도 없었다. 어려운 문제가 생길 때마다 좌절도 하고 낙심도 하면서 하나님께 기도하여 문제를 풀어 나갔다. 다행이 하나님께서 해결해 주셔서 어려운 목회 문제를 풀 수 있었다. 그리고 많은 은혜를 주셨다. 이 책이 나와 같은 목회자들에게 도움이 되었으면 좋겠다.

당신도 훌륭한 목회를 할 수 있다(하) 값 10,000원

목회는 모르면 어렵고 알면 쉬운 것이다. 이 책을 통해서 목회를 배우고 지금의 길을 달려가서 성공하는 목회자들이 많이 나오기를 원한다.
이 책을 읽는 분들은 많은 도전을 받게 될 것이다. 그리고 하나님의 원하시는 참된 목회를 추구할 것이다. 그러면서 하나님의 종이 된 것을 기뻐하고 감사드리며 헌신하게 될 것이다.

예수그리스도께서 가르쳐 주신 기도와 능력 값 5,000원

기도하는 많은 사람들을 새로운 기도의 세계로 인도할 것입니다. 주님이 가르쳐 주신 기도순서로 기도하면 깊은 영성을 소유하게 될 것입니다. 그리고 절대로 잘못된 기도는 하지 않게 될 것입니다. 또 놀라운 영적 경험을 하게 될 것입니다.
자신이 변화하는 것을 느끼게 되며, 치유의 역사가 속에서 일어나는 것을 느낄 것입니다.

기도훈련집 1, 2

- 값 6,000원
- 값 3,000원

이 기도문은 그리스도께서 하신 기도입니다. 지금까지 자기 욕심을 이루려는 기도를 드렸고 하나님을 괴롭게 하는 기도를 드렸음을 발견하게 될 것입니다. 또한 자신의 영혼이 깨끗해지고 마음이 청결해지는 것을 느끼게 될 것입니다.

교회건강검진 값 10,000원

건강한 교회와 성장하는 교회는 다른 시각으로 보아야 합니다. 건강하지 못해도 성장하는 교회가 있습니다. 이런 교회는 바람직하지 못합니다. 교회는 하나님 보시기에 건강해야 하고 또 성장해야 합니다. 그러기 위해서 검사 방법이 정확해야 합니다. 여기에 그 방법을 소개합니다.

폭발적 목장영적추수행사 값 3,500원

목장영적추수행사는 좀 더 체계적으로 훈련하여 성도의 생각을 바꾸고 생활 속에서 신앙적으로 전도 활동과 목장 집회를 갖도록 하는 획기적인 책입니다.
이 책이 제시하는 대로 시행한다면 누구든지 전도를 할 수 있으며 목장도 활성화되는 결과를 얻게 될 것입니다.

52주 목장집회 1, 2 각 값 6,000원

예배는 구원 받은 사람들이 하나님을 경외하는 것입니다. 집회는 사람들이 모여서 하나님의 은혜 받기를 사모하는 것입니다. 예배와 집회는 전혀 다른 성격을 띠고 있습니다. 목장 집회는 하나님의 은혜를 받기 위한 특별한 모임입니다. 목장 집회의 중요한 리더 만들기와 기도 셀, 사랑의 실천, 불신자를 위한 모임 등을 실천하도록 하였습니다.

영혼의 찬양 값 5,500원

십자가선교센터에서 선정한 200곡의 주옥같은 찬양을 수록하였습니다.

너희는 이렇게 기도하라 값7,000원

하루를 여는 새벽시간 개인적으로 읽고 묵상하며 경건의 시간을 갖도록 되어 있습니다. 교회에서 21일 특별 새벽기도회 기간에 활용하시면 큰 은혜의 시간이 될 것입니다.

유아세례 학습서 값8,000원

아이들에게 있어 부모의 신앙은 매우 중요합니다. 그 이유는 아이들이 부모의 신앙을 그대로 배우기 때문입니다. 그러므로 유아 세례를 줄 때 부모를 함께 철저하게 교육시킬 필요가 있습니다.

힘이 되신 하나님 값 12,000원

이 설교집은 예수그리스도의 가르침을 전하고자 함이며, 또한 나의 신앙이고 나의 사상이고 삶입니다. 내가 45년 동안 받았던 은혜를 많은 분들과 함께 나누고 싶습니다. 하나님의 마음을 느끼고, 생명이 살아나는 것과 삶의 방법과 힘을 얻을 수 있기를 바랍니다.